Monique LÉON
Pierre LÉON

Professeurs émérites de l'université de Toronto
Anciens professeurs à l'Institut de phonétique de Paris

LA
PRONONCIATION
DU FRANÇAIS

Ouvrage publié sous la direction de
Claude Thomasset

NATHAN

Des mêmes auteurs :

Monique LÉON, *Exercices systématiques de prononciation française*, Paris, Hachette-Larousse, 1964, 7ᵉ édition, 1990.

Pierre et Monique LÉON, *Introduction à la phonétique corrective*, Paris, Hachette-Larousse, 1964, 7ᵉ édition, 1990.

Pierre LÉON, *Précis de phonostylistique* (avec des travaux pratiques et leurs corrigés), Nathan, coll. « Fac », 1993.

Pierre LÉON, *Phonétisme et prononciations du français* (avec des travaux pratiques et leurs corrigés), Nathan, coll. « Fac », 2ᵉ édition revue et corrigée, 1996.

Édition : Claire Hennaut
Conception de couverture : Noémi Adda
Conception graphique intérieure : Agence Média

© Éditions Nathan, Paris, 1997.
© Nathan / VUEF - 2002 pour la présente impression
ISBN 2-09-190493-7

SOMMAIRE

AVANT-PROPOS

Le but de cet ouvrage est de donner aux étudiants de DEUG, voire aux lycéens des classes terminales, ainsi qu'à un public curieux des faits de langue, la possibilité de découvrir les mécanismes et le fonctionnement de la prononciation du français.

Ce petit livre se veut élémentaire au sens où il présente élément par élément les mécanismes de la prononciation, de la manière la plus simple possible. On a trop fait de la phonétique une science aride où les données rébarbatives de la physiologie et de l'acoustique étaient présentées souvent de manière trop savante avec un luxe superflu de connaissances théoriques.

Dans l'esprit de cette collection, il s'agit ici d'une initiation, qui se veut une introduction à des travaux plus spécialisés. Cet ouvrage ne fait pas double emploi avec *Phonétisme et prononciations du français* qui étudie surtout l'aspect de la variation phonétique, pose davantage de problèmes théoriques et fournit une abondante bibliographie. Nous nous sommes limités, dans cet ouvrage, à une bibliographie très générale.

Ce livre ne fait pas double emploi non plus avec le *Précis de phonostylistique*, qui est un document de recherche en même temps qu'un exposé détaillé de la variation expressive, allant de l'étude des émotions à celle des attitudes et aux multiples formes de la sémiotique vocale.

Les divers aspects de l'étude de la prononciation sont ici passés en revue, montrant comment les sons sont formés, codés linguistiquement, quel usage nous en faisons pour la communication comme pour notre plaisir esthétique. Quelques aspects trop méconnus, ceux de l'accentuation, de l'intonation et de la variation sociale et régionale reçoivent une place importante.

Nous espérons que ce petit livre montrera que la prononciation est un champ d'études passionnant pour quiconque s'intéresse à la langue en tant que reflet de l'humain sous toutes ses faces, individuelle, sociale, régionale, aussi bien que communicative. Nous souhaitons aussi qu'après avoir refermé ce livre, le lecteur aille explorer les ouvrages plus complets, cités dans notre bibliographie, ceux de Carton, Malmberg, Fónagy et autres grands noms de la science phonétique.

1

L'ORAL ET L'ÉCRIT

1. L'ÉCRIT EN FRANÇAIS MODERNE

Demandez autour de vous combien il y a de voyelles en français. Il y a beaucoup de chances qu'un certain nombre de réponses soient : « Il y en a cinq. Six en comptant y. » Réponse juste si l'on s'en tient à la langue écrite. Mais celle-ci date, à peu d'exceptions près, de l'époque de Philippe Auguste !

La lettre E, à elle seule, représente trois voyelles différentes dans : *dé*, *être*, *le*. Il suffit de prononcer à voix haute les mots suivants pour se rendre compte que le français possède entre 10 et 16 voyelles, selon les régions : comme dans les mots : *si*, *ses*, *sel*, *bal*, *Bâle*, *seau*, *sol*, *sous*, *su*, *ceux*, *ce*, *seul*, *brin*, *brun*, *lent*, *long*. On trouvera encore d'autres variétés de voyelles en écoutant des ruraux ou des gens âgés de certaines régions.

Quant aux 21 consonnes, vous constatez facilement que le même son peut être représenté par des lettres différentes. Regardez la façon dont peut s'écrire le son [k] dans : *coq*, *question*, *accabler*, *orchestre*, *kangourou*. Inversement, une même consonne peut représenter des sons différents, comme **c** dans : *cire*, *camion*, ou **g** dans *girouette*, *gourmand*, ou **s** dans : *si* et *oiseau*.

2. LES DEUX CODES

Avec les signes de l'oral et de l'écrit, on a affaire à deux codes différents. L'oral est toujours le premier à apparaître et à être acquis (sauf dans certains cas pathologiques). Il reste encore le seul, dans beaucoup de langues. Saviez-vous que quelque trois cents langues seulement (sur environ trois mille recensées) sont transcrites dans un code graphique ? Ces codes graphiques, *substitutifs* de l'oral, diffèrent pour chaque langue. Le français écrit *philosophie*, *nation*, l'espagnol *filosofia*, *nacion*.

Dans la graphie, on appelle *graphèmes* les lettres constituant les plus petites unités isolables, représentant des sons, telles les lettres : i, e, o, p, l, etc. Mais certains graphèmes sont des groupes de lettres, *digraphes* comme *ou*, *eu*, *au*, *ph*, *qu*, etc. ou *trigraphes*, comme *oin*, *ain*, *eau*, etc. Ces groupes de lettres sont les restes d'anciennes prononciations. Mais aujourd'hui elles fonctionnent comme symboles de sons que notre orthographe n'a pas su trouver. Ainsi, à côté de *U*, le graphème *OU* est utile, puisqu'il représente un son différent à la fois de O et de *U*.

3. LE CODE PHONÉTIQUE. LES PHONES ET LES PHONÈMES

Pour représenter plus simplement et plus rationnellement la prononciation, des linguistes pédagogues ont mis au point des alphabets phonétiques. Ils ont créé de nouveaux symboles lorsque l'orthographe n'était pas adéquate. Le principe est qu'à un même signe correspond un seul et même **phone** et inversement.

Un phone est un son de la langue. On transcrit les phones entre crochets []. Si quelqu'un prononce *papa* avec un *p* soufflé, je le note entre crochets [pʰapʰa].

Mais si cette variation concrète de la prononciation ne m'intéresse pas et que je veux noter le phone **p** seulement du point de vue de la communication linguistique, je le transcris entre barres obliques, tout simplement /p/. Je le considère alors, d'un point de vue fonctionnel, de manière abstraite. On l'appelle *phonème*.

Pour prendre un autre exemple, je peux prononcer le R français comme en espagnol, en l'articulant avec la pointe de la langue, ou bien en le roulant avec la luette, comme Édith Piaf chantant : « Non, Rrrien de rrrien… », ou comme un Parisien, en le *grasseyant*, avec le dos de la langue vers l'arrière du palais, etc. Un Français comprendra toujours qu'il s'agit du même signe linguistique, le *phonème* R. Notez bien qu'on n'articule pas un phonème puisque c'est une représentation mentale. Ce qu'on prononce, c'est un phone, qui est la réalisation concrète du phonème.

4. PHONÈMES ET VARIANTES

Les différentes variations phonétiques du [p] et du [R], qu'on vient de décrire, sont appelées des *variantes* des phonèmes correspondants /p/ et /R/. Pour revenir à l'exemple du R, on note qu'un Japonais ne fait pas de différence entre /r/ et /l/. Pour lui, ce sont là des variantes d'un même phonème. Il aura donc tendance, en français, à prononcer de la même manière : c'est *long* et c'est *rond*. Pour un Espagnol le problème du R est encore différent. En effet, l'Espagnol, lui, fait une distinction entre deux variétés de R. Il différencie *pero*, qui signifie *mais* de *perro* qui veut dire *chien*. Dans *pero*, il prononce un R roulé, avec une vibration de la pointe de la langue, alors que dans le second cas, il articule ce même R roulé avec des vibrations plus nombreuses. Un Français pourra ne pas remarquer la différence, puisqu'elle n'est pas fonctionnelle dans sa langue. Que je dise *Paris* avec un R roulé à une vibration ou à six ou sept ne changera rien à la compréhension d'un francophone.

Si, pour un Français, L et R fonctionnent comme des phonèmes permettant de distinguer un grand nombre de mots où R et L sont prononcés, cela n'empêche pas que personne ne prononce jamais exactement comme son voisin. On n'y prend pas garde tant que la communication linguistique se fait sans problème. S'il arrive que quelqu'un ait une prononciation que l'on remarque, on parle de *variantes* individuelles, régionales, ou stylistiques.

– *Individuelles*. Les variantes individuelles sont généralement peu remarquées. Il peut s'agir d'une façon de parler un peu nasale, traînante, rapide, mal articulée, etc.

– *Régionales*. Ces variantes-là permettent des remarques comme : « Elle est du Midi, lui vient sûrement d'Alsace, sa mère a un accent du Nord. »

– *Stylistiques*. Si vous voulez impressionner les gens à qui vous vous adressez, vous pouvez vous mettre à parler comme si vous faisiez un sermon, un discours politique ou comme si vous vouliez persuader que le savon que vous vendez est le meilleur du monde !

Pour revenir au phonème, disons que, dans la communication ordinaire, il y a des Français pour qui le AI de *lirai* (é) est différent de celui de *lirais* (è). Pour eux, il s'agit de deux phonèmes ayant une fonction *distinctive*. On dira encore qu'ils ont un rôle *phonologique* (on dit aussi *phonémique*). Pour d'autres, cette différence n'existe pas et, s'ils la remarquent, ils l'interpréteront comme une variante individuelle, régionale ou stylistique d'un même phonème. (On reviendra sur ces *aspects fonctionnels* p. 43, et sur ceux de la *variation*, pp. 99-108).

Une dernière remarque sur le phonème et les variantes. Les phonologues considèrent qu'on peut envisager un phonème comme *une classe de phones*. Ce qui revient à dire que le phonème n'est jamais qu'une vue abstraite, au plan de la perception, de toutes ses variantes possibles.

5. L'ALPHABET PHONÉTIQUE INTERNATIONAL

L'alphabet phonétique le plus répandu, dans le monde entier, est l'Alphabet Phonétique International, que l'on désigne souvent par API. C'est un mode de transcription relativement fonctionnel. Il sert à décrire les sons qui ont une valeur de phonèmes, que les linguistes ont donc jugés *pertinents* dans le système de la langue, même si tout le monde n'est pas d'accord sur cette pertinence. Ainsi certains Méridionaux ne font pas de différence entre *saute* et *sotte*, comme beaucoup de gens du Nord ne font pas de différence entre la voyelle finale de *j'irai* et celle de *j'irais*. Mais puisque d'autres francophones opèrent ces distinctions, l'alphabet phonétique international en tient compte. C'est ce système de transcription phonétique que nous emploierons ici. Il permet de décrire un système dit *maximal* de 16 voyelles et 18 consonnes et 3 semi-consonnes. Mais certains groupes linguistiques du français n'utilisent qu'un système *minimal* commun de 10 phonèmes vocaliques, tel celui du Midi (p. 102).

Par contre, il faut remarquer que tous les francophones utilisent le même nombre de consonnes, même s'il y a des variations entre elles.

6. LES AUTRES ALPHABETS PHONÉTIQUES

Ceux qui vont poursuivre des études sur l'évolution phonétique de la langue ou l'étude de la prononciation des dialectes ou des français régionaux devront savoir qu'il existe d'autres alphabets phonétiques que des linguistes ont imaginés pour tenter de préciser les réalisations diverses des timbres des voyelles et des consonnes.

En France, on a ainsi l'**alphabet des Atlas linguistiques** dit aussi **alphabet français**. Un autre alphabet phonétique, dit des **romanistes**, est surtout utilisé en phonétique historique. Les symboles phonétiques de ces deux derniers alphabets utilisent les lettres de l'alphabet orthographique auxquelles sont ajoutés des signes diacritiques.

7. TABLEAUX DES SYMBOLES PHONÉTIQUES

On donne ci-dessous les trois alphabets, avec un exemple pour chaque signe employé, pour que vous ayez une première idée de la transcription. Vous trouverez, plus loin, une explication détaillée des phones notés ici.

EXEMPLES	API	ATLAS	ROMANISTES
si	i	i	i̦
ses	e	é	ẹ
sel	ɛ	è	ę
sale	a	à	a ạ
pâte	ɑ	á	ạ
sotte	ɔ	ò	ǫ
saute	o	ó	ọ
sous	u	ʋú	u ṳ
su	y	u ú	ü ṳ̈
ceux	ø	ǿ	œ ọ̈
ce	ə	ǿ è̇	ę e
seul	œ	œ̀	œ ọ̈
l'un	œ̃	œ̃	œ̃
lin	ɛ̃	ẽ	ẽ
lent	ɑ̃	ã	ã
long	õ	õ	õ

Tableau 1. Symboles phonétiques des voyelles, selon les trois alphabets.

EXEMPLES	API	ATLAS	ROMANISTES
Yod (**i** dans **lié**)	j	y	y j
Ué (**u** dans **lui**)	ɥ	ẅ	ẅ
Oué (**ou** dans **Louis**)	w	w	w

Tableau 2. Symboles phonétiques des semi-consonnes, selon les trois alphabets.

EXEMPLES	API	ATLAS	ROMANISTES
pas, tas, cas	p t k	p t k	p t k
bout, doux, goût	b d g	b d g	b d g
mon, non	m n	m n	m n
agneau	ɲ	ṇ	ṇ ñ
parking	ŋ	ṅ	ṅ ŋ
faim, vin	f v	f v	f v
sot, zoo	s z	s z	s z
champ, Jean	ʃ ʒ	є j	š ž
long	l	l	l
rond (r apical)	r	r	r
rond (R dorsal)	ʀ	ṙ	ʀ
rond (R uvulaire)	ʁ	-	-
rond (R uvulaire vibré)	ʀ	-	-
haut H	h	h	h
encore ! (coup de glotte initial)	ɔ	-	-

Tableau 3. Symboles phonétiques des consonnes, selon les trois alphabets.

8. SIGNES DIACRITIQUES

On ajoute des signes appelés diacritiques pour apporter des précisions à la transcription phonétique. Vous voyez que la transcription des Atlas et celle des romanistes en emploie un assez grand nombre. L'alphabet phonétique international (API) en utilise beaucoup moins. On les examinera au fur et à mesure de notre cheminement.

En voici la liste, avec le renvoi aux pages où vous pourrez trouver leur explication :

– *Dévoisement (ou assourdissement)* : v renversé [ʌ] ou [ₒ], sous la consonne dévoisée : [pʀ̥i] ou [pʀ̥i] (cf. p. 60).

– *Voisement (ou sonorisation)* : [v] sous la consonne voisée : [bɛk̬dəgaz] (cf. p. 62).

– *Accentuation* : petite barre oblique ˋ avant la syllabe accentuée (cf. p. 78).

13

– *Palatalisation* : apostrophe ['] après la consonne palatalisée ou [j] : [k'e] ou [kʲe] (cf. p. 62).

– *Chuchotement* : signe [ₒ] après la consonne chuchotée : [ɛmablₒ] (cf. p. 58).

– *Allongement* : point [.] après voyelle demi-accentuée et deux points [:] après voyelle pleinement accentuée : [ilno.zpa], [ilo:z] (cf. p. 34).

– *Noms propres* : étoile [*] avant le nom propre : [ilvaa*pari].

9. LA COMBINAISON DES PHONÈMES

Le nombre des variantes est évidemment beaucoup plus grand que celui, très limité, des phonèmes. Mais ce petit stock des phonèmes peut se combiner de multiples façons pour donner des milliers de mots différents. Si l'on prend, par exemple, les 4 phonèmes /a/ /l/ /i/ /ʀ/, vous pouvez les combiner pour fabriquer /aliʀ/ *à lire*, /liʀa/ */lira*, /ilaʀ/ *hilare*, /ʀali/ *rallye*, /laʀi/ *Larry*, /liʀ/ *lire, lyre*, /li/ *lit*, *lit, lie*, /il/ *il, île*, /ʀa/ *rat, ras, raz*, /ʀi/ *rit, ri, riz*, /la/ *la, las, là*, /al/ *halle*, /aʀ/ *are*, *arrhes, art*, /laʀ/ *l'art, l'are, lard, lares*, /ʀal/ *râle*, /lia/ *lia*, /a/ *a, à ah*, /i/ *y*.

10. LES USAGES ET LA NORME

Quand on est minoritaire, comme l'émigrant qui arrive en pays étranger, ou quand on se trouve en face de quelqu'un qui a du prestige — ça peut être aussi quelqu'un d'une classe sociale défavorisée devant une personne plus éduquée —, on a tendance à penser qu'on parle « mal ».

Les Franco-Ontariens ou les Manitobains de langue française au Canada ont souvent préféré parler anglais plutôt que de s'entendre moquer d'eux quand ils parlaient français. Aujourd'hui encore, un Parisien s'imagine généralement que son français est le meilleur. La même chose est arrivée en Touraine quand les rois de France vivaient avec la Cour dans la vallée de la Loire. En réalité, chaque groupe a son propre accent qui varie selon les régions, la mobilité, l'âge, les circonstances (voir chapitre sur la *variation*). Il n'y a pas plus de raison de se vanter d'avoir un accent du Nord plutôt que du Midi. La télévision et la radio ont d'ailleurs rendu les gens bien plus tolérants qu'autrefois vis-à-vis des multiples prononciations.

Néanmoins, ces mêmes médias (films, vidéo, radio, télé) exercent une autocensure qui ne laisse passer que les variantes acceptables pour l'ensemble des auditeurs. Il y a des *équivalents phoniques permis*. Je peux dire *mes* et *mais* de la même manière, ou même *patte* et *pâte*, que l'on distinguait autrefois soigneusement. Mais on ne tolérerait pas qu'un annonceur ait une prononciation rurale difficile à comprendre ou trop marquée de phonèmes devenus très archaïques. Ainsi, en France, on n'accepterait pas des mots prononcés avec des diphtongues, c'est-à-dire une variation de la prononciation de la même voyelle, telles que *paère* pour *père*.

On a doublé, en français, un film québécois, *Le Déclin de l'Empire américain*, dont la prononciation aurait pu parfois entraver la compréhension du public français. On a même sous-titré un film avec Gilles Vignault, l'écrivain et chanteur québécois.

Tous les sujets parlants qui ont une fonction publique, avocat, acteur, annonceurs, politiciens, etc., quelle que soit leur région, ont généralement une prononciation dont les caractéristiques ont suffisamment de points **communs** pour qu'on en tire un modèle, reconnu comme **français standard**. Il se répand de plus en plus dans la francophonie tout entière, mais il comporte beaucoup de variantes. Les plus évidentes dépendent des situations de communication. On ne parle pas de la même manière du haut d'une chaire ou d'une estrade, ou même tout simplement au bureau, et à la maison, dans sa famille ou avec de bons copains.

Pour prendre un exemple caricatural, je peux dire : *Je ne sais pas*, en prononçant toutes les syllabes. Mais dans la conversation ordinaire, je dirai : *Je n'sais pas*. Familièrement : *J'sais pas*. Un peu fatigué ou assez détendu : *Sais pas*. Un peu plus encore : *Pas*. Et vraiment très « relax » : *P... !* Il suffit d'écouter une émission littéraire, comme celle de Bernard Pivot, qui parle en public, mais de manière très naturelle, pour s'apercevoir de toutes les « fautes » que commettent les Français par rapport à une norme pédagogique.

Mais puisqu'il faut bien présenter un modèle avant de parler des variantes, on va essayer de donner d'abord celui d'un français parlé en public, français commun ou français standard. L'essentiel est de ne jamais croire que tout le monde parle comme un ordinateur bien programmé et de ne jamais condamner la prononciation qui ne suit pas le modèle décrit.

Faisons comme les linguistes, qui décrivent et essaient de comprendre au lieu de dire : « C'est bien ou c'est mal. » En fait, il y a autant de modèles possibles qu'il y a de situations de communication à l'intérieur d'un même groupe géographique.

Exercices[1] (réponses p. 110)

1. Groupez les mots suivants par graphèmes vocaliques vous paraissant représenter la même prononciation : lit, beau, part, gens, vin, dé, feu, sert, fin, rais, lys, bol, bas, paon, main, thé, bœuf, gel, brun, faux, Caen, et, cœur, aient, œil, nez, voir, oui, bien.

2. Quelles unités linguistiques pouvez-vous composer avec les 4 phonèmes suivants : /e/ /ʀ/ /a/ /l/ ? (utilisez seulement le /e/ comme dans *thé*).

3. Indiquez la réponse correcte, pour le français. OUI = O, NON = N, PARFOIS = P :
   a) la différence entre [r] roulé et [ʀ] dorsal est phonologique : O, N, P.
   b) si le mot *quai* est prononcé avec le ê de *être* plutôt qu'avec le é de *thé*, la différence est phonétique : O, N, P.
   c) la différence entre/p/et/b/est phonologique : O, N, P.
   d) un graphème est l'équivalent d'un phonème : O, N, P.
   e) une variante stylistique empêche la communication : O, N, P.

4. Écrivez orthographiquement les mots suivants, transcrits en API : [aɲo] [ɛspaɲɔl] [paʀkiŋ] [ʃapo] [eʃape] [ʒamɛ] [aʒe] [aʃte] [ʒənʃɑtpɑ] [lpɑɛtǣnwazo].

5. Transcrivez en API les mots suivants (le E final n'est pas prononcé) : fil, bête, thé, pâle, attaque, or, faux, sous, lu, bleu, heure, nez, prends, vin, lent, rond, viens, ouest, suis, Louis.

6. Transcrivez en API les énoncés suivants : J'ai vu Jean et Chantal. On a gagné au loto. Janine part en Espagne. Il y a des oiseaux sur le parking. Louis prend des truites. Oui, c'est moi. Je vous souhaite un bon Noël. Je crois que Louise va à Caen. Quand comptez-vous partir ?

---

1. Ces exercices et tous les suivants sont destinés à faire une sorte de révision du chapitre. N'hésitez pas à vérifier vos réponses. La manière de transcrire en phonétique demande de la pratique. Vous ne saurez pas tout transcrire immédiatement. Ne vous découragez pas !

7. Transcrivez selon l'alphabet des Atlas les mots suivants (donnés en API) :
[ete] [ivɛːʀ] [lapɑt] [ɛlɛsɔt] [sotsyʀlatabl] [sølasɑ̃su] [ilɛlsoeldɑ̃lʒaʀdɛ̃]
[ɛlʒõglavɛk*ʒɑ̃tal] [wi*lwiɛtavɛklɥi] [iljadezaɲo dɑ̃lamõtaɲ].

8. Transcrivez dans l'alphabet des romanistes les énoncés de l'exercice
précédent.

9. Quels vous paraissent être les avantages et les inconvénients de l'alphabet des Atlas linguistiques et de celui des romanistes par rapport à l'API ?

2

CLASSEMENT ARTICULATOIRE

1. LES ORGANES DE L'ARTICULATION

Pour parler, il faut d'abord expirer du souffle. Ce souffle est modifié de diverses manières lorsqu'il passe au travers de plusieurs organes : *larynx, cavités buccale et nasales.*

L'air expiré rencontre d'abord, dans le larynx, les *cordes vocales*, qui sont de petits muscles. Pour certains sons, comme les voyelles, elles vibrent. Pour sentir leurs vibrations, prolongez à voix haute une voyelle, comme [i], en mettant le dos de votre main contre la pomme d'Adam. Par contre, les cordes vocales ne vibrent pas dans la voix chuchotée et pour certaines consonnes. Vérifiez en prolongeant un [f], par exemple, toujours en mettant le dos de votre main contre la pomme d'Adam. Vous ne sentirez pas de vibrations.

Dans la bouche, l'air expiré rencontre la *luette*, extrémité du *palais mou* ou *voile du palais*. Celui-ci peut s'abaisser si on prononce un son nasal, comme dans *bon*, ou se relever si l'on prononce un son oral, comme dans *beau*. *La langue, les dents, les lèvres* jouent également un rôle dans la prononciation. Leur forme, ainsi que celle des différentes cavités de la phonation et des cordes vocales, varient pour chacun de nous. Les résonances qui en résultent créent l'individualité de chaque voix.

Tous ces organes de la phonation vont servir de points de repère pour définir les voyelles et les consonnes. Vous remarquerez plus loin, en étudiant le classement des phones, que les consonnes sont définies de façon plus précises que les voyelles. Cela parce que les consonnes sont mieux localisées. Vous verrez que l'on utilise seulement 4 notions : *aperture* (ouvert/fermé), *antériorité/postériorité, nasalité* et *labialité* pour définir la localisation des voyelles. Par contre, pour définir les consonnes, on va utiliser, en plus des traits de nasalité et de labialité, des repères mieux définis, à la fois le long de la partie inférieure des lieux d'articulation et de la partie supérieure (figure 1, ci-après).

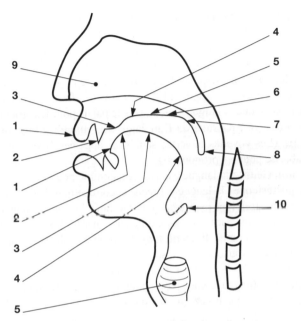

Figure 1. Les organes de la phonation

A) Partie inférieure : 1. *apex* (pointe de la langue) 2. partie prédorsale (avant du dos de la langue) 3. partie médio-dorsale 4. partie post-dorsale 5. la glotte, qui est le passage formé par les cordes vocales.

B) Partie supérieure : 1. partie labiale 2. dentale 3. alvéolaire 4. pré-palatale (partie antérieure du palais dur) 5. partie médio-dorsale 6. partie post-dorsale 7. partie vélaire (zone du voile du palais ou palais mou) 8. partie uvulaire (zone de la luette, extrémité du voile du palais). 9. Fosses nasales. Notez que l'organe numéroté 10 est l'épiglotte, qui ferme la glotte lorsqu'on avale.

2. ARTICULATION ET TIMBRES DES VOYELLES

Le timbre, c'est la « couleur » que prend le son laryngien après qu'il a été modifié par son passage au travers des organes articulatoires.

Le timbre d'une voyelle se définit par son **point d'articulation**, c'est-à-dire l'endroit où le passage de l'air entre la langue et le palais est le plus étroit. En réalité, il ne s'agit pas d'un point, mais d'un lieu d'articulation. Vous pouvez vérifier vous-même, devant un miroir, la définition des termes suivants, en articulant les phones donnés en exemple :

– **Voyelle fermée** : passage de l'air étroit (non complètement fermé). La voyelle [i] est fermée par rapport à [a]. (Les voyelles fermées sont aussi appelées *hautes*, parce que la langue s'élève vers le palais pour les prononcer.)

– **Voyelle ouverte** : passage de l'air large. La voyelle [a] est ouverte par rapport à [i]. (Les voyelles ouvertes sont aussi appelées *basses*, parce que la langue s'abaisse pour les prononcer.)

– **Voyelle antérieure** : la langue est avancée, comme pour [i].

– **Voyelle postérieure** : la langue est reculée, comme pour [*a*].

– **Voyelle orale** : tout l'air expiré passe par le canal buccal, comme [i] et [a].

– **Voyelle nasale** : une partie de l'air expiré passe par les fosses nasales, comme pour les voyelles des mots : **lin, lent, long**. Le voile du palais est alors abaissé.

– **Voyelle arrondie** (ou *labiale*) : les lèvres s'avancent, comme pour [o].

– **Voyelle écartée** : les lèvres sont légèrement écartées.

En mettant votre main sous votre menton et en articulant la série des voyelles ci-dessus, vous notez que la bouche s'ouvre de plus en plus de [i] à

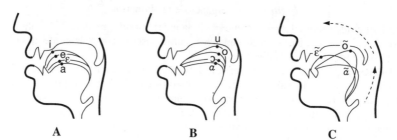

A	B	C
Voyelles [i] [e] [ɛ]	Voyelles [a] [ɔ] [o] [u]	Voyelles nasales [ɛ̃] [ɑ̃] [õ]

Figure 2. Schémas articulatoires des voyelles (les voyelles antérieures arrondies sont articulées un peu en arrière des voyelles écartées correspondantes ; les voyelles nasales sont aussi plus postérieures que les orales correspondantes). Il faut noter que la mâchoire s'abaisse de plus en plus, des voyelles fermées aux voyelles ouvertes, ce que l'on n'a pas indiqué sur les schémas ci-dessus.

[a], de [u] à [œ], de [u] à [ɔ], de même que pour les voyelles nasales correspondantes. Pour ces dernières, vous sentez que le voile du palais s'abaisse, alors qu'il est relevé pour les voyelles orales.

La différence entre les deux nasales de *brin* et *brun* est peu importante. Celle de *brun* a été remplacée par celle de *brin* ou semble actuellement se prononcer plus en arrière. La différence entre les deux A est, elle aussi, peu importante et le [a] de *patte* remplace celui de *pâte* en français moderne.

3. CLASSEMENT DES VOYELLES SELON LEURS TRAITS ARTICULATOIRES

Positions	ANTÉRIEURES		POSTÉRIEURES	
Labialité Aperture	Écartées	Arrondies	Écartées	Arrondies
Très fermées	i (si)	y (su)		u (sous)
Fermées	e (ces)	ø (ceux)		o (seau) õ (son)
Moyenne		ə (ce)		
Ouvertes	ɛ (sel) ɛ̃ (brin)	œ (seul) œ̃ (brun)		ɔ (sol)
Très ouvertes	a (patte)		*a* (pâte) ɑ̃ (pente)	

Tableau 4. Les voyelles françaises, classées selon leurs traits articulatoires

La bouche a davantage d'espace vers l'avant. Il y a donc, dans la réalité, plus de différences articulatoires entre les voyelles d'avant qu'entre celles d'arrière. On a simplifié ici la présentation pour faire ressortir l'organisation de leur système. (On a inclus, dans ce tableau, la voyelle [ɑ] postérieur et la voyelle nasale [œ̃], qui ne sont plus guère prononcées par les jeunes générations.)

Notez bien que le fait de reconnaître qu'une voyelle est *ouverte* suppose qu'une autre est *fermée* ; *antérieure* implique *postérieure*, etc. Vous pouvez déjà imaginer que toutes ces *oppositions* vont constituer un ensemble structuré pour le fonctionnement de la langue.

4. MODES ET LIEUX D'ARTICULATION DES CONSONNES

On classe les consonnes d'après leur mode et leur lieu d'articulation.

• **Le mode** est la manière d'articuler. Il concerne les traits suivants :

– *Sourd (ou non voisé)/ sonore (ou voisé)*. On peut observer ces deux modes en prononçant successivement par exemple [s] et [z]. En les prolongeant, vous sentez avec le dos de la main contre votre pomme d'Adam, que 1) pour [z] les cordes vocales vibrent, à cause de cela on dit que cette consonne est *sonore* ou *voisée* ; 2) pour [s] vous ne sentez plus de vibrations des cordes vocales, on dit que cette consonne est *sourde* ou *non voisée*.

– *Nasal/non nasal*. Si vous essayez tour à tour de prononcer [b] et [m], vous sentez que les deux consonnes sont sonores mais que [m] a en plus une résonance nasale. Vous pouvez le constater en prononçant [m] tout en pressant un doigt contre la paroi cartilagineuse du nez. On dit que [b] est une consonne *orale* et [m] une consonne *nasale*.

– *Occlusif/constrictif*. Le *mode* articulatoire concerne aussi la façon dont le passage de l'air est obstrué. Articulez [p], [b] et [f], [v]. Pour les deux premières consonnes, le passage de l'air est totalement fermé pendant un bref instant. On dit que ce sont des consonnes *occlusives* (idée de fermeture) et *momentanées*. Au contraire, vous pouvez prolonger, aussi longtemps que vous aurez du souffle, les deux autres consonnes, [f] et [v]. On dit qu'elles sont *constrictives* (idée de resserrement) ou encore *fricatives* (idée de frottement) et, d'autre part, *continues*.

– *Latéral/médial*. Toutes les consonnes françaises évacuent l'air expiré pour leur articulation, par un petit canal formé par le milieu de la langue, d'arrière en avant ou par les lèvres (pour [p b f v]). Mais le [l] fait exception en laissant l'air s'échapper par les côtés de la langue, c'est une consonne *latérale*. Cette latérale est aussi appelée *liquide*.

– *Vibrante*. On désigne parfois sous le nom de *vibrantes* les différents types de R. Ce terme, comme celui de *liquide*, est une appellation auditive impressionniste.

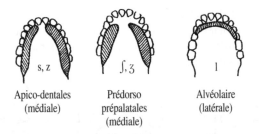

Apico-dentales
(médiale)

Prédorso
prépalatales
(médiale)

Alvéolaire
(latérale)

Figure 3. Palatogrammes des consonnes [s] [z], [ʃ] [ʒ] et [ɬ]. On voit sur l'empreinte du palais la trace de l'appui de la langue. L'air s'échappe au centre pour les deux premières, comme pour tous les sons du français, mais sur les côtés pour le [l].

• **Le lieu** d'articulation concerne l'endroit où sont articulées les consonnes, le long du chemin des différents organes de la phonation. Pour localiser chaque consonne, on observe, comme pour les voyelles, le *point d'articulation* (qui est ici aussi, en réalité, un *lieu*). Il est déterminé par le passage le plus étroit formé par la langue et un obstacle articulatoire ou par le resserrement des lèvres. Un coup d'œil sur le schéma des organes articulatoires, ci-dessus (p. 19), vous aidera à mieux comprendre le classement des lieux d'articulation des consonnes :

– *bi-labiales* : p b m ;
– *labio-dentales* : f v (lèvre inférieure contre dents supérieures) ;
– *apico-dentales* : t d n (apico- désigne *l'apex* ou pointe de la langue contre les dents supérieures) ;
– *apico-alvéolaires* : s z l et le r dit « roulé » (langue contre les alvéoles) ;
– *pré-dorso-pré-palatales* : ʃ ʒ (la partie avant du dos de la langue vers la partie avant du palais). Ces consonnes sont en outre *labiales* (lèvres arrondies) ;
– *médio-dorso-médio-palatales* : ɲ (partie du milieu du dos de la langue et du milieu du palais) ;
– *dorso-vélaires* : k g et le ʀ fricatif, dit « grasseyé » ;
– *dorso-uvulaire*, non vibré [ʁ] (le dos postérieur de la langue contre la luette qui ne vibre pas : c'est le R qui se répand le plus actuellement dans toute la francophonie (dans nos transcriptions, nous noterons le R dorso-vélaire par un R majuscule, pour plus de simplicité).

– *uvulaire vibré* : [Я] produit par les vibrations de la luette.

Observez maintenant les schémas articulatoires des consonnes occlusives et constrictives, ci-dessous, puis reportez-vous aux tableaux du classement par traits articulatoires, p. 25.

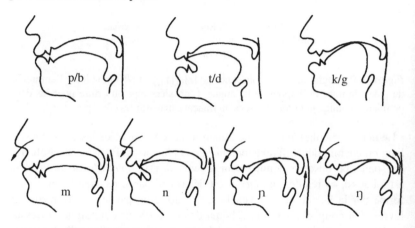

Figure 4. Schémas articulatoires des consonnes occlusives

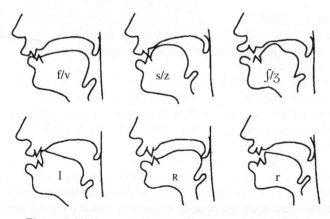

Figure 5. Schémas articulatoires des consonnes constrictives

5. CLASSEMENT DES CONSONNES D'APRÈS LEURS TRAITS ARTICULATOIRES

LIEU MODE	Bi-labiales	Apico- dentales	Médio-dorso- palatale	Dorso- vélaires
Non-voisées	p	t		k
Voisées	b	d		g
Nasales	m	n	ɲ	ŋ

Tableau 5. Traits articulatoires des occlusives

LIEU MODE	Labio dentales	Pré-dorso- alvéolaires	Pré-dorso pré-palatales	Apico- alvéolaires	Dorso- uvulaire
Non-voisées	f	s	ʃ		
Voisées	v	z	ʒ	r	R
Latérale				l	

Tableau 6. Traits articulatoires des constrictives

6. LE COUP DE GLOTTE

Il y a, en français, une consonne qui n'a pas de rôle linguistique. Mais elle a une fonction expressive. C'est le *coup de glotte*. Ce son est produit quand on fait un effort pour tousser, par exemple. C'est une contraction brusque des cordes vocales qui ferme leur passage, appelé *glotte*. On peut produire le coup de glotte exprès devant une voyelle, si on veut insister sur un mot, comme : `Encore !* Par sa nature physiologique, c'est une consonne occlusive. On la note par le signe [ʔ]

Le [h] « aspiré », en réalité expiré quand il était prononcé, est aussi une consonne glottale mais expirée à glotte ouverte, c'est-à-dire que les cordes vocales sont écartées au passage du souffle.

7. ARTICULATION ET TIMBRES DES SEMI-CONSONNES

On appelle *semi-consonnes*, ou *semi-voyelles*, 3 phones dont l'articulation est plus fermée que celle des voyelles [i], [y], [u] qui leur correspondent. Elles ne sont pas aussi ouvertes que ces voyelles mais elles ne sont pas non plus aussi fermées que les consonnes constrictives dont elles ont un peu les bruits de friction. Elles apparaissent lorsque [i] [y] [u] sont suivies d'une autre voyelle :
– *yod* [j] est un [i] très fermé, médio-palatal, comme pour le I écrit prononcé dans *pied* [pje].
– *ué* [ɥ] est un [y] très fermé, dont l'articulation est plus vocalique que celle du yod et s'en différencie par la labialité (les lèvres sont avancées), comme pour le U écrit de *lui* [lɥi].
– *oué* [w] est un [u] très fermé, postérieur, labial, comme le OU écrit de *Louis* [lwi].

Les semi-consonnes ne peuvent jamais être prononcées isolément comme les voyelles. Certains phonologues appellent les semi-consonnes des *glides*, du mot anglais signifiant « glissement ». Ce terme donne mieux l'idée de transition que celui de semi-consonne.

Antérieures		Postérieure
Écartée	Arrondie	Arrondie
[j]	[ɥ]	[w]

Tableau 7. Les traits articulatoires des semi-consonnes

Exercices (réponses p. 111)

1. Quels sont les traits articulatoires qui définissent les voyelles suivantes (ex. : [i] orale, antérieure, écartée, très fermée) : 1. [y] ; 2. [ɛ] ; 3. [ɔ] ; 4. [u] ; 5. [ø] ?

2. Comment une voyelle nasale est-elle articulée ?

3. Quelles sont les voyelles qui correspondent aux traits articulatoires suivants :

a) orale, antérieure, écartée, ouverte ; b) orale, antérieure, écartée, fermée ; c) orale, postérieure, arrondie, fermée ; d) orale, antérieure, arrondie, ouverte ; e) nasale, antérieure, écartée, ouverte.

4. Dessinez le schéma articulatoire des 3 voyelles [i] [a] [u].

5. Quels sont les 4 traits qui décrivent les consonnes suivantes (ex. [p] : occlusive, orale, non-voisée, bi-labiale) : [b] [d] [k] [n] [ʀ] [f] [z] [m] [ʒ] [r].

6. Quel trait articulatoire différencie le [l] de toutes les autres consonnes ? Expliquez.

7. Que deviennent [k] [g] et [p] nasalisés ? Pourquoi ?

8. Donnez le symbole, en API, pour les consonnes suivantes : a) constrictive, orale, labio-dentale, non voisée ; b) constrictive, orale, pré-dorso-alvéolaire, non-voisée ; c) constrictive, orale, dorso-uvulaire, voisée ; d) occlusive, orale, apico-dentale, non-voisée ; e) occlusive, nasale, bi-labiale.

9. Identifiez les consonnes occlusives représentées dans les schémas suivants :
   a) p/b, t/d ou ŋ ?   b) t/d, p/b ou m ?   c) p/b, n ou m ?   d) k/g, t/d ou m ?
   e) p/b, n ou k/g ?   f) p/b, m ou n ?   g) t/d, m ou ɲ ?

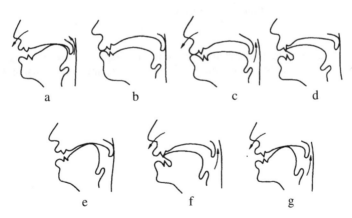

Figure 6. Consonnes occlusives

10. Identifiez les consonnes constrictives représentées dans les schémas suivants :
   a) ʃ/ʒ/r ?   b) s/z, ʀ ou l ?   c) ʃ/ʒ, f/v ou ʀ ?   d) l, f/v ou ʀ ?   e) s/z, l ou ʀ ?
   f) s/z, f/v ou l ?

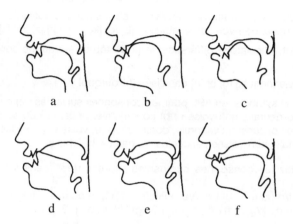

Figure 7. Consonnes constrictives

11. Indiquez si les termes suivants réfèrent aux modes ou aux lieux d'articulation : bi-labial, sonore, orale, fricative, constrictive, antérieure, nasale, latérale, sourde, voisée.

12. Placez, sur le schéma suivant, les adjectifs se rapportant aux organes articulatoires qui servent à décrire les consonnes.

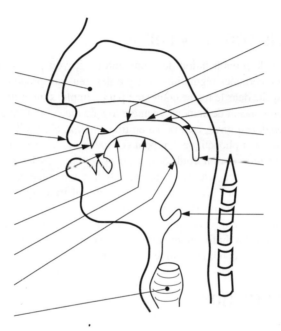

Figure 8. Organes articulatoires

3

LOIS PHONÉTIQUES

1. OBSERVATION ET « LOIS »

En observant la prononciation des gens autour de vous, vous pouvez vous apercevoir de certaines régularités. S'il y a des gens qui prononcent toujours la même voyelle dans le même contexte ; par exemple, si un grand nombre de personnes prononcent de la même manière le *é* de *thé*, à la finale des mots tels que : *nez, pied, irai, avez*, etc., on va en tirer une *loi*, c'est-à-dire un principe de fonctionnement phonétique. On peut constater, en sciences naturelles, que « l'eau entre *toujours* en ébullition à 100 degrés, dans les mêmes conditions ». Par contre, en sciences humaines — la phonétique en est une —, il faut être très prudent ! On ne peut pas *toujours* affirmer qu'un même sujet parlant va *toujours* être constant dans sa prononciation.

Néanmoins, il y a des constantes qui font que l'on peut établir des *lois*, ou « règles générales » du fonctionnement de la prononciation. Voici un résumé de ces règles et des conditions qui les déterminent.

2. ACCENTUATION

Mots isolés

Dans le modèle du français standard, la voyelle *accentuée*, est la dernière voyelle prononcée d'un mot isolé, comme dans : `\`bon`. En fait, l'accent porte sur toute la syllabe où se trouve la voyelle finale prononcée et il est noté par une barre oblique devant cette syllabe accentuée, comme dans : jam`\`bon, macaro`\`ni, imman`\`geable. Il ne s'agit pas de l'accent que l'on utilise dans l'orthographe mais d'un accent phonétique. La voyelle accentuée est plus *longue* et généralement plus *forte*. Elle peut aussi être mélodiquement plus *haute* ou plus *basse*.

Les voyelles non finales sont dites *inaccentuées*. Elles sont normalement prononcées avec moins d'énergie que les voyelles accentuées. Le résultat est que leur timbre est alors moins net.

Vous verrez, dans le chapitre sur la variation, que l'accentuation du français, comme les autres éléments de l'articulation et de l'intonation, peuvent varier beaucoup.

Mots en contexte parlé

Quand vous parlez, vous ne placez pas un accent sur chaque mot. Vous ne mettez un accent qu'à la fin d'un groupe de mots formant une unité de sens. C'est généralement une unité grammaticale, appelée *syntagme*, comme dans : *(Il est \bon), (ce jam\bon), (\mais) (vos macaro\nis) (sont immman\geables).*

Accent secondaire

Dans : *Voilà une \rose. Elle est \rouge*, les deux mots en finale de groupe, *rose* et *rouge*, sont accentués. Mais dans : *Voilà une rose \rouge*, le mot *rouge* porte l'accent principal et le mot *rose, non final, n'a plus qu'un accent secondaire*. Si on veut l'indiquer, on le note par une barre oblique plus petite.

Groupes rythmiques

Un groupe terminé par un accent est appelé parfois *mot phonique*, parce qu'il forme un bloc homogène dans la prononciation. Mais on l'appelle plus souvent encore *groupe rythmique* parce que l'accentuation crée un rythme dans la phrase. C'est comme le retour des temps faibles et des temps forts en musique dans : *Les \feuilles \mortes se ra\massent à la \pelle* (Prévert et Kosma) ou dans : *\Moi mes sou\liers ont beau\coup voya\gé* (Félix Leclerc).

3. SYLLABATION

Il faut et il suffit qu'on ait une voyelle prononcée pour constituer une syllabe. Les mots *ah, oh, où* ont une syllabe. Le E final non prononcé n'intervient pas dans le compte des syllabes. On prononce *lue* comme *lu*. Les voyelles *i, u, ou* se lient généralement à la voyelle suivante et ne font donc pas une syllabe supplémentaire. Il n'y a qu'une syllabe dans *les* et *lié*, dans *lit* et *lui*, dans *lit* et *Louis*.

4. DIVISION SYLLABIQUE

– Toute consonne seule, entre deux voyelles, se lie à la syllabe suivante : *dé-ci-dé*.

– Les consonnes doubles représentent généralement une seule consonne prononcée : *arrivé* [a-ʀi-ve].

– Les consonnes R et L ne se séparent pas de la consonne qui les précède : *patrie* [pa-tʀi], *oubli* [u-bli].

– En dehors de ces deux groupes, deux consonnes différentes se séparent : *admis* [ad-mi], *tactique* [tak-tik], *perdu* [pɛʀ-dy], *alchimie* [al-ʃi-mi].

5. STRUCTURE SYLLABIQUE : SYLLABE OUVERTE/ SYLLABE FERMÉE

Vous pouvez constater qu'il y a deux types de syllabes, selon qu'elles se terminent par une voyelle ou une consonne. Si une syllabe se termine par une voyelle prononcée, on l'appelle *syllabe ouverte*, parce que le passage de l'air est alors ouvert. Dans : *Marie ira à Paris et à Lyon*, toutes les syllabes sont ouvertes, malgré le fait que la graphie de *Paris* et *Lyon* comporte des consonnes finales. Mais ce sont des consonnes non prononcées. On découpe ainsi cette phrase en syllabes : [*ma-ʀi-i-ʀa-a-*pa-ʀi-e-a-*ljõ].

Par contre, si la syllabe se termine par une consonne prononcée, on l'appelle *syllabe fermée*, parce qu'une consonne se prononce avec un passage d'air presque fermé, comme pour [s] ou [f], par exemple, ou même complètement fermé, pendant un bref instant, comme pour [p], [t], [k]. Ainsi, toutes les syllabes des mots de la phrase suivante sont fermées : *Il sort par une porte sur l'autre cour*. Bien que plusieurs des mots se terminent par une voyelle écrite, seules les consonnes finales sont ici prononcées. On syllabe alors cet énoncé comme : [il-sɔʀ-paʀ-yn-pɔʀt-syʀ-lotʀ-kuʀ].

6. DISTRIBUTION ET TIMBRE DES VOYELLES

Maintenant, vous allez constater que le timbre des voyelles est déterminé par le jeu de leur distribution dans la structure syllabique.

On appelle *distribution* l'ordre d'apparition d'un phone dans une suite donnée. Dans /al/, /sal/ et /la/ le /a/ a trois distributions différentes : initiale, en syllabe fermée ; médiale, en syllabe fermée ; et final, en syllabe ouverte. On peut encore préciser en notant si la syllabe est accentuée ou non.

C'est en nous référant à la fois à la nature de la syllabe et à la place de la voyelle dans son contexte que nous allons pouvoir déterminer les lois générales de la prononciation des voyelles dites à double timbre.

Ces voyelles, E, EU et O, peuvent avoir en effet deux timbres différents. Voici comment ces timbres sont déterminés par la *loi de distribution complémentaire*, dite aussi *loi de position*. Le terme *complémentaire* signifie ici que les phonèmes n'apparaissent pas dans la même distribution. Ainsi le *EU* de *peu* n'est pas dans la même distribution syllabique que celui de *peur*. Le premier est en syllabe ouverte, le second en syllabe fermée.

La loi de distribution complémentaire pour la prononciation des voyelles françaises s'énonce, de manière générale, ainsi :

E, EU, O, EN SYLLABE ACCENTUÉE OUVERTE SONT FERMÉS
E, EU, O, EN SYLLABE ACCENTUÉE FERMÉE SONT OUVERTS

Exemples :

	E	E U	O
Syllabe ouverte	1. *ces* [se]	3. *ceux* [ø]	5. *seau* [so]
Syllabe fermée	2. *sel* [sɛl]	4. *seul* [sœl]	6. *sol* [sɔl]

Tableau 8. Distribution complémentaire des voyelles

7. ORTHOÉPIE. LOIS PHONÉTIQUES ET ÉVOLUTION

On appelle *orthoépie* la relation que cette discipline établit entre l'écriture et la prononciation. On peut constater qu'il existe des *lois phonétiques*, comme celle de l'exemple ci-dessus : « O accentué en syllabe ouverte est *toujours* fermé. » Mais l'évolution de la langue et l'influence de la graphie ou de l'étymologie font qu'on doit apprendre un certain nombre de lois orthoépiques, qui tiennent compte de ces facteurs. Pour le moment, examinez seulement le problème de la distribution complémentaire des cas ci-dessus : *les cas 2, 3 et 5 appliquent sans exception la loi phonétique de distribution complémentaire pour le français standard.*

8. EXCEPTIONS COURANTES À LA LOI DE DISTRIBUTION COMPLÉMENTAIRE

Elles concernent les autres cas : 1, 4 et 6.

– Le cas 1 : Les finales : AI, AIS, AIT, AIENT, comme dans *mai*, *frais*, *lait*, *chantaient*, se prononcent souvent avec la voyelle ouverte de *être*.

– Le cas 4 : Il n'y a guère que les finales en -EUSE, comme *danseuse*, *chanteuse*, qui se prononcent avec le EU fermé de *peu*.

– Le cas 6 : Il ressemble au précédent, en ce sens que les terminaisons en -OSE et en -AUSE, avec [z] final, comme dans *rose*, *pose*, *pause*, se prononcent avec la voyelle fermée de *peau*.

De plus, les graphies en AU ou Ô, comme dans *chaude*, *côte*, se prononcent aussi avec un O fermé.

9. DURÉE ET ALLONGEMENT DES VOYELLES

– *Consonnes allongeantes.* [ʀ z v ʒ] ainsi que le groupe [vʀ], en finale accentuée, allongent la voyelle qui les précèdent. On note cet allongement par deux points [:]. Les voyelles de *mare* [ma:ʀ], *vise* [vi:z], *vive* [vi:v], *bouge* [bu:ʒ], *lèvre* [lɛ:vʀ] sont plus longues que celles de *mat*, *ville*, *vite*, *boude*, *lèpre*.

– *Voyelles longues en syllabes fermées.* Les voyelles A postérieur [ɑ] et O fermé [o] ainsi que les voyelles nasales sont allongées, en syllabe accentuée finale, lorsqu'elles sont suivies d'une consonne prononcée. Pour un Français qui prononce encore le A postérieur [ɑ], un mot comme *pâte* se prononce [pɑ:t]. On aura de même une voyelle longue dans des mots comme : *faute* [fo:t], *pince* [pɛ̃:s], *tombe* [tõ:b], *pente* [pɑ̃: t], etc.

– *Allongements et demi-allongements.* Lorsqu'une voyelle a seulement un accent secondaire, elle est demi-allongée. On note le demi-allongement par un point seulement [.]. On aura ainsi : *Voilà une rose* [vwala ynRO:z] mais *Voilà une rose rouge* [vwala ynRO. zRu:ʒ].

Exercices (réponses p. 112)

1. Marquez d'un trait oblique la syllabe accentuée des mots isolés suivants :
Oui demain Alice restera ici avec Jean-Claude néanmoins réfléchissez longuement

2. Mettez les accents de groupes rythmiques dans les énoncés suivants :
Oui, demain soir, Alice restera là avec Jean. Néanmoins, je ne sais pas si ma mère veut venir avec eux.

3. Divisez les mots suivants en syllabes :
numéroter, inimitable, secteur, responsable, portique, scepticisme.

4. En vous aidant du tableau des signes phonétiques de l'alphabet international, essayez de transcrire le texte de la question numéro 2, ci-dessus :
Oui, demain...

5. Transcrivez[1] les mots suivants :
eau, or, bleu, deux, fleur, dé, sec, chaud, nez, jeune.

6. Notez les accents secondaires et les accents principaux dans la phrase suivante :
Il faut souligner le rôle important qu'ont joué les cabarets dans la diffusion de la chanson française. Les plus célèbres ont été ceux de la rive gauche, comme La Rose Rouge, L'Écluse....

7. Transcrivez les mots ou groupes de mots qui comportent des allongements dans le texte précédent.

---

1. Sauf indication contraire, il s'agira toujours désormais de transcription phonétique en API.

8. Transcrivez également :
   Rose a une blouse beige. Les fleurs bleues sont dans le vase noir. Ôte ta veste et mets-toi à l'aise. La faute la plus grave serait d'ignorer les anges.

9. Qu'est-ce qu'un coup de glotte ?

10. Comparer le [h] et le [ɔ].

PROBLÈMES D'ORTHOÉPIE : E CADUC ET LIAISON

1. LES GRAPHIES ET LES SONS

Les grandes lois phonétiques sur les voyelles, que nous avons examinées au chapitre précédent, tiennent compte de la structure phonique : syllabe accentuée, ouverte ou fermée. Mais vous avez noté aussi que beaucoup d'exceptions ne peuvent être expliquées que si l'on a recours aux graphies. Elles témoignent d'une évolution de la langue et sont aujourd'hui nos seuls repères pour la prononciation. Si un mot comme *frais* se prononce avec un E ouvert, c'est parce qu'il appartient à un certain type de graphème qui a conservé cette prononciation.

Le problème est encore plus complexe avec les consonnes. À moins d'être philologue, il faut apprendre la liste des mots contenant le graphème CH pour savoir que ce dernier se prononce [k] dans *choléra* et [ʃ] dans *chaud*. En examinant deux des problèmes les plus spécifiques du français, celui du E caduc et celui de la liaison, vous verrez combien sont liés les facteurs de graphie et de structure phonique.

2. E CADUC : PROBLÈMES DE GRAPHIES

Les étrangers connaissent bien ce problème. Lorsque la lettre E n'a pas d'accent graphique, comme dans *cerise*, *essence*, *refaire*, *verdure*, faut-il la prononcer comme le *é* fermé de thé, le *ê* ouvert de *bête* ou le *e* de *le* appelé E muet ou E caduc ? La réponse dépend de la structure phonique, d'une part, et de problèmes graphiques, d'autre part.

– *Structure phonique :* l'E caduc ne se trouve jamais en syllabe fermée. Vous vous rappelez que dans *merci* [mɛʀsi], par exemple, le E est toujours ouvert. L'E caduc est toujours en syllabe ouverte, comme dans *le*, *de-main*, *re-tour*, etc.

– *Graphies qui empêchent l'E d'être caduc en syllabe ouverte* : devant consonne double ou *sc*, l'E sans accent graphique est E fermé, comme dans *e-ffort*, *e-ssence*, *de-scente*, etc.

Devant *rr*, on prononce généralement [ε], comme dans *terreur*.
– *Exceptions* : dans les préfixes, ou anciens préfixes, comme *dessus*, *dessous*, *ressembler*, l'E caduc garde son timbre de voyelle labiale.

3. QUAND L'E CADUC DOIT-IL SE PRONONCER ?

Ici encore, la structure phonique joue un rôle. Il faut distinguer en effet entre E caduc en position finale de groupe rythmique, ou à l'initiale et à l'intérieur. Et, dans ce dernier cas, on doit prendre en compte le contexte phonique. On peut dégager, très succinctement, les lois suivantes :
– *Précédé d'une seule consonne prononcée, l'E caduc tombe généralement*, quelle que soit sa position dans le groupe rythmique :
1) initiale : *Je vois* [ʒvwa]
2) médiale : *Un renard* [œ̃Rna:R]
3) finale : *Il m'aime* [ilmεm] sauf dans le pronom accentué : *Dis-ˋle* [dilə].
– *Précédé de plus d'une consonne prononcée, l'E caduc est généralement prononcé*, en position initiale et médiale de groupe rythmique :
1) initiale : *Prenez ça* [pRənesa]
2) médiale : *Sept renards* [sεtRəna:R]. Dans ce dernier cas, vous voyez que l'E caduc de *renard* est prononcé parce qu'il est précédé des deux consonnes [t] et [R].
– *E caduc final de groupe rythmique précédé de deux consonnes prononcées tombe généralement* : acte [akt], qu'il parte [kilpart].

Mais si la consonne finale est [R] ou [l], on entend un *chuchotement*, sorte de petit souffle, sourd ou sonore, comme dans *litre* ou *livre*.

Notez aussi que dans le parler « jeune » on entend souvent un E caduc prononcé en finale, même là où il n'y en a pas dans la langue, comme dans : *Bonjour-E !*
– *En cas de plusieurs E caducs à la suite, on tend à garder le premier et à supprimer le second : Je n(e) vois pas, Ne m(e) dis rien.*
– *Devant le h aspiré l'E caduc se maintient : le héros* [ləeRo].

4. LA LIAISON

C'est aussi un problème de structure phonique et de graphie. La liaison est un souvenir d'un ancien état de langue où toutes les consonnes finales se prononçaient. On disait : *Les amis* comme [lezamis]. Le S final est tombé, au Moyen Âge, devant une pause, comme presque toutes les consonnes en finales absolues. La consonne finale d'un mot ne s'est conservée que dans la mesure où un E final la protégeait. On dit ainsi *il vit* [ilvi] sans prononcer le T final mais *il va vite* [ilvavit] en prononçant le [t] que la voyelle E finale a protégé, avant de tomber elle-même à l'époque moderne. De même, devant une autre voyelle que E, la consonne finale a pu continuer à se prononcer dans la mesure où elle se trouvait souvent à l'intérieur d'un groupe rythmique.

La liaison est actuellement une consonne finale, ordinairement non prononcée, qui se prononce devant une voyelle, à l'intérieur d'un groupe rythmique. Dans *Il est petit*, le T final n'est pas prononcé. Mais dans *petit ami*, le T final de *petit* est prononcé.

5. LA PRONONCIATION DES CONSONNES DE LIAISON

Les seules consonnes de liaison vraiment fréquentes sont : [z], [t], [n]. La liaison avec R ne concerne que quelques adjectifs : *dernier, premier, léger*.
– S, X, Z se prononcent [z] dans la liaison : *trois amis* [trwazami], *deux amis* [døzami], *chez eux* [ʃezø] ;
– T, D se prononcent [t] dans la liaison : *petit idiot* [ptitidjo], *grand auteur* [grɑ̃totœʀ] ;
– N se prononce toujours [n] : *un ami* [œ̃nami].

La consonne de liaison s'enchaîne à la voyelle suivante, selon le principe général de la syllabation du français : *il est ici* [i-lɛ-ti-si].

6. LIAISON ET GROUPE RYTHMIQUE

Puisque c'est dans la mesure où une consonne finale est restée fréquemment à l'intérieur d'un groupe rythmique que sa prononciation s'est conservée sous forme de *liaison*, on en tire les deux grandes lois générales :

• La liaison se fait d'un mot inaccentué à un mot accentué :
1) *Obligatoirement* avec déterminant (adjectif, article, pronom) + déterminé (adjectif, pronom, nom,). Ex. : *les ogres* [lezɔgʀ₀], *les autres amis* [lezotʀəzami], *aucun autre homme* [okœ̃no. tʀɔm] ;
2) Obligatoirement entre le noyau verbal et ce qui l'entoure, pronoms personnels ou autres. Ex. : *ils ont* [ilzɔ̃], *ont-ils* [ɔ̃til], *prends-en* [pʀɑ̃zɑ̃], *en avez-vous* [ɑ̃navevu], *courent-elles* [kurtɛl], *nous en auront* [nuzɑ̃nɔrɔ̃] ;
3) *Facultativement* après toutes les formes verbales : *Elle est ici* [ɛlɛtisi] ou [ɛlɛisi] ; *vous avez oublié* [vuzavezublije] ou [vuzaveublije] ; *il était arrivé* [iletɛtarive] ou [iletɛarive] et après les conjonctions et les adverbes comme : *mais, après, depuis.*

• La liaison ne se fait pas après un mot accentué ou devant un mot qu'on veut démarquer :
1) d'un groupe rythmique à un autre : *Ils ˈvont* # et *ˈviennent* ;
2) devant et après la conjonction *et* : *Il sort # et # il s'en va* ;
3) devant le mot *oui* et devant une citation : *elle dit # oui* ; *elle dit :# « est-ce vrai ? »* ;
4) devant *h aspiré*, qui était autrefois une consonne prononcée : *des haies* [deɛ], *des Hollandais* [deɔlɑ̃dɛ], *les hauteurs* [leotœ:ʀ].

Cas particuliers
– *La liaison dénasalise la voyelle nasale* [ɛ̃]. Comparez :
moyen [mwajɛ̃], *Moyen Âge* [mwajɛnɑ:ʒ], *moyenne* [mwajɛn]
certain [sɛʀtɛ̃], *certain aspect* [sɛʀtɛnaspɛ], *certaine* [sɛʀtɛn]
– *La liaison ne se fait pas après un substantif singulier : un bois immense* [œ̃bwaimɑ̃:s].

7. LIAISON ET STYLE

Vous avez pu constater, dans ce bref survol, qu'il y a trois sortes de liaisons : *obligatoires, interdites et facultatives.* Ne pas faire une liaison obligatoire peut amener une incompréhension, comme dans *ils arrivent* prononcé comme *il arrive.* Et, d'une manière générale, tout le monde se conforme aux lois de ce type de liaison.

Les lois sur les liaisons interdites sont plus souvent transgressées, qu'elles représentent des prononciations archaïques ou populaires. La tendance à tout aligner sur le même modèle fait qu'on entend : 1) une généralisation de la liaison comme marque de pluriel, devant h aspiré, comme *des -z-haricots, des -z-handicaps* ou *cent-z-autres, mille-z-autres* ; 2) une généralisation des formes de liaison de la troisième personne des verbes : *Il va-T-aller, elle pourra-T-écrire.* En québécois populaire, on dit *Je suis-T-allé* « Ch'sut'allé » [ʃytale].

La liaison facultative est celle qui laisse le plus de latitude. Plus on en fait, plus on se rapproche du style oratoire. Moins on en fait, plus on se rapproche du parlé spontané qui en élimine de plus en plus, par économie linguistique. La phrase suivante pourra être perçue comme une prononciation recherchée dans 1) et spontanée dans 2) :

Je suis allé chez elle mais elle était en vacances depuis une semaine
1) [ʒəsɥizaleʃezɛl mɛzɛletɛtɑ̃vɑkɑ.s dəpɥizynsəmɛn]
2) [ʃɥialeʃezɛl mɛɛleteɑ̃vakɑ:s dəpɥiynsəmɛn]

Exercices (réponses p. 113)

1. Pourquoi les E des mots suivants sont-ils caducs ? : *Je, demain, aime, dessus, ressembler.*

2. Quels sont les timbres du E des mots suivants ? Pourquoi ? : *effet, erreur, descente.*

3. Donnez la loi de prononciation des E des mots suivants : *mer, sec.*

4. Transcrivez les énoncés suivants et expliquez la chute du E caduc :
   la petite ferme, une petite ferme, cette belle demeure, sept semaines.
   Je vois, je ne vois pas, prenez-le, vous le voulez ?

5. Transcrivez : *Ma grande amie et son grand ami sont deux êtres charmants. Chez eux, les invités sont à l'aise.*

6. Dans la phrase : *Ils se sont retrouvés après vingt ans,* pourquoi ne fait-on pas habituellement de liaison après *retrouvés* ?

7. Transcrivez : *Les heures passent vite avec des hippopotames disent les Hollandais.*

8. À quel problème phonétique se heurte-t-on dans la phrase précédente ?

9. Transcrivez : *Un certain aspect du Moyen Âge m'est apparu soudain.*

10. Indiquez, entre parenthèses, si la liaison est obligatoire (O) facultative (F) ou interdite (I) dans les énoncés suivants :

Des ( ) hommes, trois ( ) apôtres, vingt ( ) archanges, quatre-vingts ( ) anges et ( ) un ( ) elfe, quelques ( ) Hongrois ( ) aussi, s'en vont ( ) à la guerre, mais ( ) on sait ( ) assez que le bruit ( ) infernal des ( ) armes ( ) écorche les ( ) oreilles des dieux.

ASPECTS FONCTIONNELS

1. LA PHONOLOGIE : UNE PHONÉTIQUE FONCTIONNELLE

Si vous prononcez *quai* avec le *é* de *thé* plutôt qu'avec le *ê* de *tête*, cela n'a pas d'importance pour la compréhension du mot. On est dans le domaine de la variation phonétique. Par contre, si vous prononcez le *vent* comme le *vin*, vous risquez de ne pas vous faire comprendre. Il y a une différence phonologique entre les deux voyelles. Cependant, il faut noter que ce genre de confusion phonologique, lorsqu'il se produit à l'intérieur d'un même groupe linguistique, d'un parler régional à un autre, par exemple, n'empêche généralement pas l'intercompréhension, car il y a le contexte. Il rétablit la communication lorsque le mot isolé ne le permet pas.

Si un Français du Nord entend un Méridional ou un Franco-Ontarien dire isolément le mot *vent*, il pourra croire qu'il s'agit de *vin*. Par contre, avec la même prononciation dans le contexte : *il pleut et il y a du vent*, il y a peu de chance de se tromper.

Mais les phonologues, devant une langue inconnue, sont bien obligés de procéder sans tenir compte du contexte. Il prennent des mots isolés, comme ceux que nous avons vus à propos de l'espagnol : *perro/pero*. C'est en opposant deux unités de ce type, autrement semblables, que le phonologue pourra déduire que R simple s'oppose à RR, en espagnol, pour créer des sens nouveaux.

2. COMMUTATION ET OPPOSITIONS PHONOLOGIQUES

Remplacer un phonème par un autre, dans le même contexte, pour en déduire sa valeur linguistique, s'appelle une *commutation*. Prenons un exemple en français, avec les mots suivants :

bis	*beau*
bu	*peau*
bout	*mots…*

On constate que, dans la première colonne, la substitution de /i/ à /y/ puis à /u/ produit des mots de sens différent. De même, dans la seconde colonne, la substitution de /b/ à /p/ et à /m/ montre que chacune de ces consonnes joue aussi un rôle dans la communication linguistique. Devant une langue nouvelle, un linguiste procède de manière semblable pour faire l'inventaire des phonèmes. Si la commutation amène un changement de sens (toujours dans *la même distribution*) on dira que l'on a une *opposition phonologique* (dite aussi phonémique). Ainsi, dans les exemples ci-dessus, je dirai que les voyelles /i/ /y/ /u/ s'opposent ; de même les consonnes /b/ /p/ /m/. Vous en déduisez que toutes les voyelles et les consonnes que l'on a présentées, dans les tableaux du chapitre 2, peuvent être considérées comme formant un *système d'oppositions*. Comme disait le linguiste de Saussure : « La langue fonctionne par différences. »

3. PAIRES MINIMALES

Notez encore que deux unités qui ne s'opposent que par un seul phonème constituent ce qu'on nomme une *paire minimale*. Ainsi *peau/beau*, *tôt/dos*, *pas/peau*, *tôt/tas* sont des paires minimales. On les utilise beaucoup dans l'enseignement d'une langue étrangère. Elles montrent aux étudiants l'utilité de bien faire les distinctions phonologiques sous peine de n'être pas compris. On a tous entendu des Espagnols parler d'un *bœuf* au lieu d'un *veuf*, parce que, dans leur langue, il n'existe pas de paire minimale opposant /b/ à /v/ au début d'un mot. Pour un Allemand, la paire minimale : *sot/zoo* est difficile à réaliser au début de l'apprentissage, parce que l'opposition /s/-/z/ n'apparaît pas en allemand dans la distribution initiale.

4. OPPOSITIONS PHONOLOGIQUES DES VOYELLES À DOUBLE TIMBRE

Si nous revenons maintenant aux exceptions 1, 4 et 6 de la distribution complémentaire du tableau 8 (p. 33), on s'aperçoit qu'elles peuvent constituer des oppositions phonologiques.

Le cas 1 : Le E en syllabe accentuée et ouverte. Il existe, par exemple, une opposition phonologique des deux timbres du E, qui concerne la morphologie des verbes :

/e/   /ɛ/

j'ir**ai** / j'ir**ais** (futur / conditionnel)

j'all**ai** / j'all**ais** (passé simple / imparfait)

j'**ai** / que j'**aie** (présent indicatif / présent subjonctif)

Cette opposition n'est pas toujours réalisée par tout le monde. On dit alors qu'elle est *instable*. Quand elle disparaît, on dit qu'elle est *neutralisée*. Mais la voyelle qui en résulte ne reste pas abstraite. Elle peut d'abord prendre un timbre moyen. Elle finit, en général, par se réaliser *au profit* d'un des deux timbres de la voyelle. Ici, c'est parfois [e], comme dans le Midi, parfois [ɛ] comme souvent à Paris maintenant.

Le cas 4 : Le EU en syllabe accentuée et fermée. L'opposition des deux timbres du EU existe théoriquement dans deux paires minimales peu courantes : *jeûne/jeune* et *veule/veulent*. Elles ont maintenant pratiquement disparu au profit de /œ/.

Le cas 6 : Le O en syllabe accentuée et fermée. Il existe un assez grand nombre d'oppositions phonologiques des deux timbres du O en syllabe fermée. Ce sont surtout des paires minimales du lexique, comme :

/o/   /ɔ/

côte   *cotte*

saute   *sotte*

saule   *sol*

Notez bien que tous les phonèmes peuvent entrer dans des oppositions phonologiques et que l'on peut avoir toutes sortes de paires minimales en combinant voyelles et consonnes.

– *Opposition* a/ɑ

En plus des paires minimales vocaliques des voyelles à double timbre que nous venons de voir, on distinguait aussi autrefois celles de A antérieur /a/ - A postérieur /ɑ/, comme dans *patte/pâte*. Mais cette opposition a pratiquement disparu du français moderne dans les jeunes générations, comme l'opposition des deux voyelles nasales /ɛ̃/-/œ̃/.

5. OPPOSITIONS CONSONANTIQUES

On a beaucoup parlé des oppositions des voyelles à double timbre parce que tous les Français ne réalisent pas ces oppositions et qu'elles présentent ainsi un cas d'étude privilégié. Mais il faut bien garder à l'esprit que tous les phonèmes s'opposent entre eux. Les oppositions des consonnes résistent mieux que celles des voyelles à l'usure de la langue parce qu'elles sont nécessaires à l'intelligibilité. On peut supprimer beaucoup de voyelles en parlant mal mais dès que l'on supprime trop de consonnes, comme dans le parler de quelqu'un qui est ivre, on a beaucoup de mal à comprendre.

Le système consonantique du français standard d'aujourd'hui ne présente pas de différences phonétiques bien grandes. On verra les principales dans le chapitre sur la variation. D'un point de vue phonologique, on a constaté que le /ŋ/ des terminaisons en *-ing*, empruntées à l'anglais, est relativement bien intégré au système consonantique français. On remarque des fluctuations pour le /ɲ/ dans *agneau* [aɲo] opposé au groupe /nj/ dans *panier* [panje] et enfin une instabilité de la semi-consonne /ɥ/ qui joue un rôle phonologique dans l'opposition *juin/joint*, par exemple. De plus en plus de Français prononcent /ʒwɛ̃/ dans les deux cas.

6. DISTRIBUTION DES PHONÈMES

On a vu (p. 33) que la distribution d'un phonème est définie par les positions qu'il peut occuper dans la chaîne parlée. Vous constatez, par exemple, que toutes les voyelles du français peuvent apparaître à l'initiale des mots, sauf le E muet : *il, été, ère, are, âme, or, où, osé, usé, eux, heure, indice, humble, ombre, ancien.* À la finale, comme en position interne, toutes les voyelles sont possibles. On peut constater aussi que les consonnes n'apparaissent pas dans toutes les distributions possibles. Ainsi, le son /ŋ/ que les Français ont emprunté à l'anglais, en finale de mots comme *parking*, n'apparaît jamais en initiale ou en position médiane. Certaines combinaisons de phonèmes n'existent pas ou n'apparaissent que dans certains cas. Par exemple, le groupe /kt/ existe à la finale et en position médiale, comme dans *acte* ou *acteur*, mais très rarement en initiale.

Vous vous souvenez du rôle joué sur le timbre des voyelles par leur distribution : en syllabe ouverte, la voyelle est fermée ; en syllabe fermée, la voyelle est ouverte. Et vous vous rappelez que certaines oppositions instables, comme celle des E, dans *j'ai/j'aie*, ont souvent tendance à se *neutraliser*.

7. DISTRIBUTION, NEUTRALISATION ET ARCHIPHONÈME

Voyelle en position inaccentuée

Le timbre des voyelles dites « à double timbre », E, EU, O, A, est souvent moyen, parce qu'on articule une voyelle inaccentuée avec moins d'effort qu'une voyelle accentuée. On y prête donc moins d'attention. Dans ce cas, on dit que la neutralisation s'opère au profit d'un *archiphonème*. L'archiphonème peut alors être défini comme *une unité phonologique qui a perdu les traits distinctifs d'une opposition, dans une distribution particulière*. Par exemple, les voyelles /e/ et /ɛ/ s'opposent théoriquement dans des paires minimales comme *pécheur/pêcheur*, le premier avec E fermé, le second avec E ouvert. Mais pratiquement le E inaccentué est souvent réalisé avec un timbre moyen, sans valeur phonologique. On peut noter l'archiphonème en petites majuscules, E, EU, O, A, correspondant au phonème de base. On pourra écrire alors *pécheur* et *pêcheur* de la même manière : /pɛʃœ:ʀ/. On peut faire de même avec les autres voyelles inaccentuées, devenues archiphonèmes : EU, comme dans *Europe* ou O, comme dans *chocolat*. L'archiphonème A inaccentué s'est généralisé en A antérieur.

Voyelle en position accentuée

On a vu que les oppositions e/ɛ (*J'irai/j'irais*), ø/œ (*jeûne ; jeune*), et o/ɔ (*saute/sotte*), sont instables et se neutralisent souvent. Mais, au plan phonétique, contrairement à ce qui se passe pour les voyelles inaccentuées, l'archiphonème qui résulte de la neutralisation des oppositions vocaliques en position accentuée, finit presque toujours par se réaliser au profit d'un des deux timbres de l'opposition.

Consonnes

On verra, en étudiant les assimilations consonantiques (p. 59), que certaines oppositions consonantiques, comme /p/-/b/, se neutralisent aussi, comme dans *absent* où le /b/ a perdu son trait distinctif de voisement. Mais ce type de neutralisation n'a pas de conséquences phonologiques comparables à celles concernant les voyelles. En effet, en dehors de quelques cas marginaux, comme ceux signalés plus haut (*juin/joint*), on n'a jamais de paires minimales affectées par une neutralisation consonantique. Si on peut accepter l'idée que la paire minimale *j'irai/j'irais* risque d'entraîner une confusion linguistique, il n'en est pas de même lorsque *cheval* est prononcé [ʃfal] (voir p. 59) au lieu de [ʃəval].

8. CHANGEMENT ET RENDEMENT PHONOLOGIQUE

On peut se demander pourquoi certaines oppositions phonologiques disparaissent, entraînant des changements de prononciation. On découvre qu'il s'agit parfois d'une question d'économie linguistique. Si les paires minimales *brin/brun*, *patte/pâte*, *jeûne/jeune*, sont en train de disparaître ou ont déjà disparu, c'est parce que leur nombre est réduit. On dit que l'opposition a un mauvais rendement phonologique. D'autre part, la différence phonique entre les deux sons est peu importante. Il n'y a entre *brun* et *brin* qu'un seul trait distinctif, la labialité, or il n'est pas facile d'articuler une voyelle ouverte avec les lèvres avancées.

Pour l'opposition du type *patte/pâte*, le principal facteur de la disparition est sans doute la faible fréquence du A postérieur (0,5 % des voyelles, dans la parole, contre 8 % pour le A antérieur). Là encore, l'opposition a un mauvais rendement. Il en est de même pour celle du double timbre de EU, où on a vu que les seules paires minimales /ø/ - /œ/ encore connues — et pas par tous les francophones — sont *jeune/jeûne* et *veule/veulent*.

D'autres oppositions que la linguistique fonctionnelle croyait immuables, parce qu'elles avaient un grand rendement, comme celles des trois voyelles nasales de *vin/vent/vont* se déplacent ou se transforment dans certaines couches sociales de la francophonie.

Vous voyez que, pour les timbres des voyelles, les distributions complémentaires sont finalement plus souvent réalisées que les oppositions phonologiques en français moderne. Ce qui revient à dire que le jeu phonétique de la syllabe est plus important pour les voyelles à double timbre que celui des oppositions.

Bien d'autres facteurs sont en jeu dans les changements de la prononciation. En particulier, l'influence des attitudes qui portent des messages cachés, comme les voix de charme ou snobs. Lorsque les voyelles deviennent plus antérieures, il s'agit souvent d'une marque de préciosité inconsciente. Le [a] paraît plus joli que le [ɑ], de même cela fait plus chic de dire *beauté* avec un O ouvert plutôt qu'avec un O fermé, ou de dire *joli* comme *jeuli*. Des forces analogues sont en jeu actuellement avec les voyelles nasales. Il y a, dans les changements de prononciation, des phénomènes de mode. Il y a aussi l'influence des médias, radio et télévision, qui proposent des modèles que les auditeurs imitent inconsciemment. Les changements de prononciation reflètent aussi le besoin d'intégration à un groupe social. Un ouvrier tendra à parler comme ses camarades de travail. Une secrétaire imitera son patron, etc. (voir chapitre 11).

Exercices (réponses p. 114)

1. Trouvez des paires minimales à partir des mots suivants :
   ferai/ ; *jeûne/* ; *cotte/* ; *haute/* ; *mâle/* ; *mangeai/* ; *entrait/* ; *roc/* ; *Beauce/* ; *môle/.*

2. Trouvez, parmi les mêmes mots, des distributions complémentaires.

3. Transcrivez en API les phrases suivantes :
   J'ai mangé chez elle hier, à sept heures.
   La jeune danseuse a l'air malheureux.
   Les jeunes hommes dorment sous les saules.
   Aux échecs aussi, les fous sont proches des rois.
   Deux numéros, neuf et sept, restent seuls en jeu.

4. Voici la transcription phonétique des mots d'une langue imaginaire et leur traduction en français :

[te] : jour ; [tɛk] : là ; [ke] : loin ; [ko] : ami ; [ro] : boire ; [kɔk] : manger ; [kɛk] : après ; [to] : adieu ; [pe] : joie ; [pɛ] : joie ; [rej] : nuit ; [kej] : courir ; [koj] : avant ; [lej] : demain ; [loj] : oui.
Indiquez les paires minimales possibles.

5. Quels sont les phonèmes de la langue ?

6. Quelle est la distribution des phonèmes ?

7. Quels sont les phonèmes en distribution complémentaire ?

8. Quel rôle joue le [j] ?

9. Quel est le rôle de la nasalité ?

10. Transcrivez les énoncés suivants, en notant les allongements :
    Vous avez du feu ? Savez-vous s'il y a quelque chose de neuf ? Dites à Paul qu'il neige. Une côte de bœuf au poivre, pas trop grosse.

APERÇUS PHONOLOGIQUES

1. LE SYSTÈME DES PHONÈMES, VALEURS OPPOSITIVES ET TRAITS DISTINCTIFS

Tous les phonèmes s'opposent les uns aux autres et forment un *système* nécessaire à la communication linguistique. Les tableaux des voyelles et des consonnes que l'on a vus nous montrent l'ensemble des éléments de ce système pour le français standard.

Vous pouvez remarquer que chacun de ces éléments prononcé tout seul n'a pas de sens. Si je dis [p] ou [f] ou [i], isolément, cela ne veut rien dire. Les phonèmes, voyelles ou consonnes, n'ont de valeur qu'en s'opposant les uns aux autres. On dit qu'ils ont une fonction *oppositive* ou *distinctive*.

On a vu qu'on détermine l'existence d'un phonème par la méthode de substitution, dite aussi de *commutation*. Il reste alors à trouver en quoi un phonème se distingue d'un autre. L'analyse phonétique nous permet, par exemple, en comparant /p/ et /b/, de constater que c'est le *trait* de sonorité qui est *distinctif*. Le /b/ est un /p/ avec des vibrations sonores dont le [p] est dépourvu.

On a classé, dans les tableaux des pages 21 à 25, les voyelles et les consonnes selon les traits articulatoires qui permettent de les distinguer. On aurait pu également les classer par leurs traits acoustiques *aigu/grave*, *compact/diffus*, *bémolisé/non-bémolisé*, etc. Mais cette classification s'est révélée peu efficace et un peu rébarbative à cause de son caractère très technique.

2. SÉRIES VOCALIQUES ET CORRÉLATIONS CONSONANTIQUES

Si vous vous reportez au tableau des voyelles (p. 21) vous pouvez constater, horizontalement, une correspondance entre /i/ /y/ /u/, puis entre /e/ /ø/ /o/, etc. On dit qu'elles constituent des *séries* vocaliques. Ce qui caractérise chaque série, c'est d'avoir en commun un même trait distinctif articulatoire : *très fermé* ou *fermé*, *ouvert*, *très ouvert*. Elles ont aussi en commun d'appartenir à une même série acoustique (elles ont le même formant bas) comme vous le verrez au chapitre 7.

Pour les consonnes, vous constaterez, en regardant le tableau de leur classement (p. 25), que chaque série horizontale se distingue aussi de l'autre par un trait commun. Ainsi /p/ /t/ /k/ et /b/ /d/ /g/ par le trait de sonorité, /b/ /d/ /g/ et /m/ n/ /ŋ/ par le trait de nasalité. On dit alors qu'on a affaire à une *corrélation*. Les consonnes occlusives ont deux corrélations, *sonorité* et *nasalité*. Les constrictives n'entrent que dans une seule corrélation, celle de sonorité : /f/ /s/ /ʃ/ et /v/ /z/ /ʒ/.

Quand vous faites ce type d'analyse, vous voyez que le /l/ et le /ʀ/ n'entrent pas dans une corrélation. Leur réalisation phonétique est le plus souvent sonore mais elle peut également être sourde. Ainsi dans *quatre* [katʀ̥] ou *souple* [supl̥], le R et le L en finale perdent leur sonorité au contact de la consonne sourde qui les précède. (Voir *assimilations*, p. 59 et suivantes.)

Cela n'empêche pas R et L d'appartenir au système phonologique du français puisqu'elles peuvent toujours s'opposer entre elles et à tous les autres phonèmes.

3. REPRÉSENTATION DES PHONÈMES PAR LEURS TRAITS DISTINCTIFS

On a dit (p. 11) que le phonème peut être considéré comme « une classe de sons ». C'est l'image générique de toutes ses variantes possibles. Mais on peut également essayer de représenter économiquement un phonème par ceux de ses *traits* qui sont nécessaires et suffisants. Dans notre classement des voyelles et des consonnes selon leurs traits articulatoires (pp. 21-25), parmi les traits retenus, certains sont absolument indispensables pour distinguer un phonème d'un autre, ce sont eux qui sont, à proprement parler, *distinctifs*. On les appelle encore *pertinents*. Par exemple, pour distinguer les voyelles, /i/ /y/ /u/, on peut les représenter dans le tableau suivant, où le signe [+] indique la réalisation du trait indiqué ou sa non-réalisation, notée par le signe [–].

Vous voyez que le trait de fermeture n'est pas distinctif lorsqu'il s'agit de différencier ces trois voyelles-là. Dans ce cas, ce trait est *redondant* (on le note alors par 0). S'il s'agit de différencier /i/ de /y/, seul le trait de labialité est distinctif. Antériorité et aperture (l'aperture désigne le degré d'ouverture) sont alors redondantes. De même, pour distinguer /y/ de /u/, seul le trait d'antériorité est distinctif, les autres sont redondants. Pour ces trois voyelles, on pourrait noter également que le trait d'oralité est redondant.

Timbres Traits	/i/	/y/	/u/
antérieur	+	+	−
arrondi	−	+	+
fermé	0	0	0

Tableau 9. Traits distinctifs de la série /i/ /y/ /u/ en français

On peut procéder de même avec les autres voyelles et montrer que tous les traits articulatoires que l'on a retenus sont parfois distinctifs, parfois redondants.

Il en est ainsi également pour les consonnes. Si on prend, par exemple, le cas de /p/ /b/ et /m/, les trois consonnes sont *occlusives*. Le trait d'occlusion est donc redondant quand on les compare. Les deux premières /p/ et /b/ s'opposent entre elles par le trait de voisement et le /m/ s'oppose à /p/ et /b/ par le seul trait de nasalité. (Le trait de sonorité pour /m/ est redondant, puisque les nasales sont toujours sonores en français.)

Un trait redondant peut devenir distinctif, comme l'aperture s'il s'agit de comparer des voyelles de séries : très fermée/ fermée/ ouverte/ très ouverte ; ou, dans l'exemple qu'on a vu pour les consonnes, le trait d'occlusion devient distinctif lorsqu'on compare la série des occlusives à celle des fricatives.

Lorsqu'on veut représenter l'ensemble des phonèmes par une grille matricielle, on introduit les traits *vocalique* et *consonantique*. Certains phonologues emploient les traits *coronal*, au lieu de *apico-dental*, et *strident*, qui est un trait acoustique, pour décrire les consonnes /f s ʃ v z ʒ/.

4. LA SIMPLIFICATION PHONOLOGIQUE

En partant de l'idée de ne garder pour la description phonologique que les traits strictement distinctifs, les phonologues simplifient la description phonétique des traits articulatoires.

Voyelles

Pour les voyelles, les phonologues ne distinguent plus plusieurs degrés d'aperture. Ils ne retiennent que la seule distinction *fermé* (pour /i/ /y/ /u/) – *ouvert* (pour /e ø o/ aussi bien que pour /ɛ œ ɔ/). La distinction s'opère par les autres traits : *avant/ arrière*, *arrondi/ écarté*.

Lorsqu'il s'agit de comparer les voyelles aux consonnes, les phonologues notent aussi d'autres traits, tels que : *voisé*, *latéral*, *strident*, etc.

Si on ne retient que les traits distinctifs pour l'identification des voyelles orales (le A postérieur est exclu puisque son rôle phonologique a pratiquement disparu), on aura la grille matricielle suivante :

	i	e	ɛ	a	ɔ	o	u	y	ø	ə	œ
vocalique	+	+	+	+	+	+	+	+	+	+	+
arrondi	—	—	—	—	+	+	+	+	+	+	+
fermé	+	—	—	—	—	—	+	+	—	—	—
ouvert	—	—	+	+	+	—	—	—	—	—	+
avant	+	+	+	—	—	—	—	+	+	—	—
arrière	—	—	—	—	+	+	+	—	—	—	—

Tableau 10. Matrice phonologique des voyelles orales

Le trait *vocalique*, pour opérer la distinction avec les consonnes dans une matrice comportant tous les phonèmes, n'est pas nécessaire ici, ou pourrait être remplacé par 0, puisqu'il est redondant pour les voyelles seules.

Le trait *antérieur* est souvent attribué aux consonnes et remplacé, pour les voyelles, par celui d'*avant*.

On voit que, pour les phonologues, ce qui compte, c'est de pouvoir définir des oppositions avec le minimum de traits distinctifs. Ainsi le /e/ n'est pas décrit comme une voyelle fermée. Le /ɛ/ est décrit par les deux seuls traits *ouvert* et d'*avant*. Le /ə/ par : *arrondi, ouvert* et d'*arrière*. Le /y/ *arrondi* et d'*avant*, etc. Alors qu'un phonéticien retiendra tous les traits descriptifs possibles, un phonologue ignorera ceux qui ne lui sont pas nécessaires dans la comparaison qu'il fait de tous les phonèmes.

Consonnes

Pour les consonnes, les phonologues s'embarrassent encore moins des précisions données par les phonéticiens. Lorsqu'ils établissent des grilles matricielles, ils ne retiennent que des traits de mode articulatoire (nasal, voisé, latéral, continu, vocalique, consonantique, strident) et des traits de lieux articulatoires très généraux (d'avant, antérieur, d'arrière, fermé, ouvert, arrondi, coronal). Les traits *dental* et *alvéolaire* sont confondus en *coronal*. Ils ajoutent aux traits articulatoires le trait acoustique de *strident* pour /f s ʃ v z ʒ/. On est loin de l'observation phonétique.

Cette sorte de description phonologique perd donc beaucoup en précision mais gagne en économie. Elle est très abstraite et permet une utilisation plus facile de la description phonétique dans les programmes informatiques utilisés dans la synthèse ou la reconnaissance automatique de la parole.

Exercices (réponses, p. 115)

1. Écrivez la série des occlusives sourdes.

2. Écrivez la série des nasales correspondant à la série précédente.

3. Écrivez la corrélation des consonnes fricatives.

4. D'après la grille matricielle des voyelles, quelles sont les différences entre les traits retenus par la phonologie et les traits descriptifs de la phonétique, pour : /i/ /o/ /u/ /ø/ /œ/.

5. En vous reportant au tableau du classement des voyelles (p. 21), dites quels traits distinctifs opposent : i/y ; y/u ; i/e ; ɑ/ɑ̃

6.D'après le tableau des occlusives (p. 25), quels traits distinctifs opposent p/b/m ?

7. Dans l'opposition b/m, quelle valeur a le trait de sonorité ?

8. Quelles consonnes n'ont pas de correspondant phonologique non voisé ?

9. Quels traits distinctifs opposent /l/ à /t/ ?

10. Dans la grille matricielle suivante, indiquez, par + ou —, les traits distinctifs servant à opposer t/d/n/l/r :

	t	d	n	l	r
occlusive					
voisée					
nasale					
apico-dentale					
apico-alvéolaire					
latérale					

ASPECTS PSYCHO-PHYSIOLOGIQUES

1. Phénomènes de coarticulation

Dans la parole, vous n'articulez pas chaque phone séparément. Chaque phone s'enchaîne avec celui qui le précède et avec celui qui le suit. C'est ce qu'on appelle la *coarticulation*. Ainsi on constate qu'un [k] suivi d'un [i], qui est une voyelle antérieure, est articulé plus en avant qu'un [k] suivi d'un [u], qui est une voyelle très postérieure. Mais notre oreille ne perçoit normalement que la représentation phonologique abstraite /k/, ignorant les phénomènes de coarticulation.

La coarticulation diffère surtout selon le débit de la parole. Si vous parlez lentement, pour une lecture ou une dictée à un enfant, par exemple, vous faites un effort pour articuler très clairement. Mais si vous parlez spontanément, familièrement et vite, il se produit beaucoup d'accidents de prononciation. Les uns sont d'ordre mécanique et sont conditionnés par le principe du moindre effort. Les autres sont d'ordre psychologique.

2. Mécanismes articulatoires et principe du moindre effort

Rencontre de deux voyelles

On l'appelle *hiatus*. Dans *dehors*, *aorte*, *aérien*, vous avez une succession de deux voyelles. En français, ces deux voyelles sont bien articulées, et le passage de l'une à l'autre — appelé *enchaînement vocalique* — se fait doucement, sans coup de glotte, comme cela arrive en allemand, par exemple.

La plupart des hiatus, en français, ne sont pas dans des mots du lexique mais dans des rencontres de mots, surtout dans les formes verbales, comme : *il a été*, *elle a eu*, *où avez-vous...* Certains hiatus ont été éliminés dans la langue : « *si il* » est devenu *s'il*. De même, dans tous les articles, dans certaines formes atones des pronoms personnels, etc., cette simplification s'appelle une *élision*, comme « *le oiseau* » devenant *l'oiseau*, ou *il* « *me* » *a dit* devenant *il m'a dit*.

Mais, dans un parler rapide, on entend d'autres chutes, non notées par la graphie. Parmi les plus courantes, dans la conversation familière, on peut citer : *Mais alors > m'alors, Eh bien alors > balors, Mais enfin > m'enfin, cet, cette + voyelle > st', cette année > st'année, Tu ne sais pas > t'sais pas, tout à l'heure > t't'à l'heure*, etc.

Chute de l'E caduc

La chute vocalique la plus courante et la mieux connue est celle de l'E caduc (p. 38). Cette voyelle, au timbre neutre, qui ressemble au *euh* d'hésitation, n'a pas de valeur distinctive nettement marquée, comme les autres voyelles. Elle alterne souvent avec *zéro phonique*, c'est-à-dire une absence de son. On peut dire : *le veau* /ləvo/ ou /lvo/, la chute ou la présence du [ə] ne change rien au sens. Il n'est donc pas étonnant qu'on fasse facilement l'économie de cette voyelle dans le discours spontané de la conversation.

Chuchotement

Dans les finales de groupe rythmique, l'E caduc ne tombe pas complètement, s'il est précédé du groupe consonne sonore + R ou L. Il persiste sous forme d'un petit élément vocalique d'appui, *chuchotement* voisé que l'on note par un petit o. On aura : *soude* [sud] mais *coudre* [kudʀo], *crabe* [kʀab] mais *aimable* [ɛmablo].

Rencontre de deux consonnes

Il peut s'agir de *consonnes doubles*, que l'on appelle aussi *géminées*. Dans les mots simples, on ne prononce généralement qu'une seule consonne, comme dans : *aller, atterrir*, etc. Mais certaines personnes, soit par snobisme, soit sous l'influence de la graphie, prononcent des mots comme *villa, illégal, immense*, avec une consonne double.

On prononçait, par contre, les deux consonnes de mots séparés qui venaient en contact, comme /ʀʀ/ dans : *la mer Rouge*, ou les consonnes doubles des oppositions de type morphologique, telles que : *mourrais* /ʀʀ/ - *mourais* /ʀ/.

Mais ces oppositions pourtant fonctionnelles, utiles à la compréhension, tendent à disparaître actuellement. Cela montre que la perception du discours se fait de manière globale, surtout dans le discours spontané et rapide.

Dans la rencontre de deux consonnes, il peut s'agir encore de mots où *deux consonnes différentes* figurent côte à côte, comme dans : *aptitude, abdomen, acteur*. Les deux consonnes peuvent aussi venir en contact dans des mots séparés comme *sac d'or, bec d'aigle*, ou encore par suite de la chute d'un E, comme dans : *un j(e)ton, la s(e)maine, communism(e)*. Dans ces derniers cas, il se produit des altérations qu'on va examiner maintenant.

3. LES CONSONNES ET LA LOI DU PLUS FORT : LES ASSIMILATIONS

Si vous prononcez à voix haute, à vitesse normale, un mot comme *obscène*, vous constatez que le /b/ n'est plus sonore et que vous avez en réalité prononcé [ɔpsɛn]. Le /b/ est devenu [p] au contact du [s]. C'est ce qu'on appelle une *assimilation*. Cela se produit au cours de la rencontre de deux consonnes et la plus forte assimile la plus faible en lui donnant certains de ses caractères. Ici, le [s] qui est *non voisé* (vous vous rappelez que l'on dit aussi qu'il est *sourd*) a fait perdre au [b] son *voisement* (ou *sonorité*).

Une consonne peut être forte par sa nature ou par sa position dans la syllabe.

Nature : Les occlusives [p t k b d g] sont plus fortes que les constrictives [f s ʃ v z ʒ l ʀ]. Les sourdes [p t k f s ʃ] sont plus fortes que les sonores correspondantes [b d g v z ʒ] et que les nasales.

Position 1 : Lorsque les deux consonnes en contact sont *dans la même syllabe*, les lois précédentes sur le rapport des forces consonantiques s'appliquent en général très bien. La forte assimile la faible.

Exemples : *Cheval* > [ʃfal]. Par suite de la chute du E, les deux premières consonnes se sont jointes, dans la même syllabe. La forte, sourde, a assimilé la faible sonore. *Je parie* > [ʃpaʀi]. Après la chute du E, les deux premières consonnes se trouvent ici aussi dans la même syllabe. Cette fois, c'est la deuxième consonne, sourde et de plus occlusive, qui assimile la première, sonore et fricative, donc plus faible. On constate le même phénomène dans tous les groupes de consonnes qui ne se séparent pas : Consonne + R ou Consonne + L. Quand les deux consonnes sont sonores, elles le restent, comme dans : *brin, drap, gros, bleu, gland*, etc. Mais si la première consonne du groupe est non voisée, elle assourdit le R ou le L suivant : *pris, trois, cri, litre*, etc. Dans ce cas-là, notez qu'on transcrit phonétiquement le R et le L dévoisés avec un petit rond, ou avec un petit v renversé, sous la consonne. *Pris* sera transcrit [pʀ̥i] ou [pʀ̬i], *litre* [litʀ̥] ou [litʀ̬].

Du fait que le [ʀ] et le [l] n'ont pas de contrepartie phonologique sourde, comme /p/ en a une avec /b/ par exemple, on est obligé d'employer le signe diacritique de dévoisement si on veut indiquer leur désonorisation.

Position 2 : Lorsque les deux consonnes en contact sont dans *deux syllabes différentes*, la plus faible est celle qui est en fin de syllabe, la plus forte est celle qui est en début de syllabe.

Dans une séquence comme [b] + [s] dans *absent*, la consonne qui termine la syllabe précédente s'appelle *implosive*, celle qui commence la syllabe suivante est appelée *explosive*. *L'explosive a toujours plus d'énergie que l'implosive.*

Si on reprend l'exemple de *ob/scène*, la division syllabique se fait entre b et s. Bien que [b] soit une occlusive, forte par nature, elle est en position faible, parce qu'en fin de syllabe. Et c'est ce qui va compter. Le [s] initial de syllabe assimile le [b] précédent et lui donne son caractère non voisé. Il devient sourd, comme le [s], donc [p], d'où la prononciation [ɔpsɛn]. Dans un mot comme *anecdote* [anɛgdɔt], par contre, le [d] initial de syllabe, donc fort, assimile le [k] précédent, pourtant fort par nature mais devenu faible par sa position finale dans la syllabe précédente. Le [k] s'est *voisé* (*sonorisé*) en [g].

Il arrive qu'une assimilation de sonorité s'accompagne d'un trait de nasalité, comme dans *maintenant* prononcé [mɛ̃nɑ̃]. Le [t] implosif faible en fin de syllabe s'est sonorisé en [d] puis, l'assimilation continuant, le [d] s'est nasalisé en [n] et finalement les deux [n] se sont réduits à un seul. C'est un bel exemple d'usure de la langue ou d'économie linguistique. On a gardé le même point d'articulation *apico-alvéolaire* mais on a réduit l'écart des traits distinctifs, en sonorisant puis nasalisant le [t] et enfin en réduisant une géminée (phonème double) à un seul phonème.

Un autre type d'assimilation, qui ne concerne plus le mode d'articulation mais le lieu d'articulation, se produit souvent pour une suite de deux consonnes nasales, comme [n] + [m] dans *donne-moi ça*, prononcé [dɔmwasa]. Le [n] implosif, faible en fin de syllabe, a été assimilé totalement par le [m] explosif du début de la syllabe suivante.

Selon les régions, on constate des variations dans les assimilations. Les Français du Nord disent *communisme*, avec un [m] assourdi par le [s] qui se trouve dans la même syllabe. Les Français du Midi prononcent [kɔmynizmə]. À cause du E final prononcé, le [m] devenu initial de syllabe assimile le [s] précédent, qui devient [z].

Il y a aussi quelques séquences de consonnes qui ne suivent pas ces règles. On a proposé plusieurs explications, telles que celle de facteurs analogiques, comme dans *subsister* [sybziste]. (Il y a pourtant *subtropical* où le [b] est le plus souvent assimilé en [p], selon la règle générale.)

Un mot comme *svelte* est prononcé le plus souvent [zvɛlt], malgré le fait que le [s] soit plus fort que le [v]. Dans un cas comme *Vingt-deux* > [vɛ̃ddø], le [d] initial de syllabe a assimilé le [t] précédent, en position faible, et lui a donné sa sonorité. Mais on trouve aussi la prononciation [vɛ̃dø] qui montre que le [t] ne s'est pas seulement sonorisé en [d] mais s'est aussi nasalisé au contact de la voyelle précédente.

Notez que quand une assimilation se fait vers le phone suivant, on l'appelle *progressive*, comme dans *ch(e) val* > [ʃfal] (la première consonne assimile la suivante) ; alors que si elle s'effectue vers le phone précédent, on l'appelle *régressive*, comme dans *absent* > [apsɑ̃] (la seconde consonne assimile la précédente). Dans un groupe comme *J(e) crois* [ʃkr̥wa], on a une double assimilation. Le [k] assourdit le [ʒ] en [ʃ] et le [ʀ] suivant est assourdi à son tour par les deux consonnes précédentes, puisqu'elles sont dans la même syllabe.

4. ASSIMILATION PARTIELLE

Dans un parler rapide spontané, les assimilations consonantiques sont totales en français moderne. C'est-à-dire que la consonne assimilée perd totalement son trait distinctif menacé. Ainsi dans l'assimilation de sonorité ou de sourdité, /b/ devient /p/ et /p/ devient /b/ (voir ci-dessus).

Mais dans un parler lent, il arrive que le second trait articulatoire en cause, ici l'intensité, se manifeste. Ainsi on peut entendre *médecin* prononcé comme [meд̯sɛ̃] avec un [d] dévoisé mais qui a gardé son intensité faible de consonne douce. Inversement, on peut avoir *bec de gaz* [bɛḵdəgɑːz] avec un [ḵ] voisé mais qui a gardé sa force articulatoire de consonne forte. Dans ce cas, si on veut noter une sonorisation ou un dévoisement partiels, on utilise les signes diacritiques : v pour *voisement*, v renversé pour *dévoisement*, sous la consonne.

5. FACTEURS PSYCHOLINGUISTIQUES

L'interversion

La parole est faite d'automatismes. Quand on parle, on ne réfléchit pas à la manière dont on va articuler les sons et moduler leur musique. Il arrive qu'on se trompe parce que la séquence de sons à articuler est rare dans la langue et, selon le principe du moindre effort, on articule une séquence voisine, plus courante. On peut observer cela dans des mots savants, comme *aéroport* que bien des gens prononcent « aréoport » ou *infarctus*, prononcé « infractus ». On parle alors d'*interversion* des phonèmes, ou de *métathèse* si le phénomène se produit à distance. La métathèse est aussi une source de plaisanteries courantes, souvent scabreuses, appelées *contrepèteries*, comme dans l'exemple de Rabelais : *femme folle à la messe* pour *molle à la fesse*. La rubrique du *Canard enchaîné* « L'album de la comtesse » en est une source intarissable.

La palatalisation

Parfois, on se prépare à articuler une voyelle accentuée et l'effort anticipé, même s'il n'est pas conscient, a une influence assimilatrice sur une voyelle précédente. C'est le cas de la palatalisation et de l'harmonisation vocalique. L'assimilation la plus courante est sans doute la *palatalisation* de [k] et [g] au contact d'une voyelle antérieure, qui les suit. Quand la langue se prépare à avancer pour articuler la voyelle antérieure, ces deux consonnes sont attirées vers l'avant, par anticipation, ce qui les amène vers le point d'articulation du yod (le haut du centre du palais et vers la région de [t] et [d]. *Qui* est alors prononcé [kji] ou même [tji], *casquette* [tjastjɛt]. (La palatalisation est aussi notée par une apostrophe après la consonne palatalisée.) Le phénomène s'entend dans certaines régions rurales et dans les parlers populaires. La palatalisation est appelée aussi *mouillure* (voir p. 72).

L'harmonisation vocalique : assimilation vocalique
Elle se produit essentiellement avec la voyelle E ouvert, en syllabe ouverte, en position inaccentuée, qui devient E fermé sous l'influence d'une des trois voyelles fermées : [i] [e] [y].

bête [bɛt] > *bêtise* [betiz]
aime [ɛm] > *aimé* [eme]
tu sais [tysɛ] > *sais-tu* [sety]

Notez bien que l'harmonisation vocalique ne se fait pas en syllabe fermée. On dit *ébéniste* [e-be-nist] mais *termite* [tɛʀ-mit], *technique* [tɛk-nik].

6. LA LOI DU MOINDRE EFFORT FACE AUX BESOINS DE CLARTÉ ET D'EXPRESSIVITÉ

Avec des copains ou à la maison, vous ne pensez pas à la façon dont vous parlez et tout ce qui vous importe est de vous faire comprendre. Vous faites des économies d'énergie, selon la grande loi du moindre effort. Votre articulation est moins tendue et toutes les assimilations que l'on vient d'évoquer ci-dessus se font automatiquement. Vous prononcez également moins d'E muets et vous faites peu de liaisons. Il vous arrive même, on l'a vu, de laisser tomber des phones ou des syllabes.

En face de cette loi du moindre effort, on constate une tendance inverse qui s'exerce lorsqu'on fait un effort pour parler clairement. Cela varie selon le milieu social de la personne qui parle, selon la personne à qui on s'adresse et les circonstances de l'acte de communication. Si vous faites un discours en public, devant un personnage important, ou si vous parlez de loin, vous articulerez avec plus d'effort et de soin.

Vous pouvez remarquer que l'expressivité, dont on reparlera à propos de la variation, peut se manifester parfois de façon opposée. Ainsi « gzact » pour « exact » est un raccourcissement expressif économique, mais l'expressivité pourrait être obtenue également par un accroissement d'énergie, comme en allongeant le [a] final ou en mettant un coup de glotte devant la voyelle initiale. On pourrait aussi scinder le mot en deux syllabes accentuées [\εg\zakt] ou le moduler de diverses manières intonatives pour ajouter des marques d'attitudes ou d'émotions. Il y a là tout un jeu entre différentes forces parfois contradictoires.

Exercices (réponses p. 115)

1. Quels sont les hiatus et les élisions dans les exemples suivants :
   Il a à aller à Anvers. Elle est fâchée. L'ami de Paul va entrer au lycée. S'il pleut encore, il va au cinéma. L'entrée est gratuite à une heure. Où avez-vous trouvé Henri ? Le temps est gris.

2. Relevez dans deux minutes d'une émission de variétés à la télévision, les chutes de voyelles, consonnes ou syllabes que vous remarquerez.

3. Comment vos copains prononcent-ils, dans un parler de conversation ordinaire : *tu as..., tu es..., tu arrives..., tu ne sais pas..., tu vas voir..., je ne sais pas..., je n'y arrive pas..., il ne sait pas..., il ne faut pas..., il n'y a rien à faire.*

4. On a relevé dans une émission de télévision la prononciation géminée des consonnes doubles écrites, dans les énoncés suivants. Indiquez les géminées qui sont fonctionnelles : *illicite, illusoire, immobile, la mer Rouge, il courrait plus vite si..., que vous le lisiez..., cela ne fait qu'accroître..., c'est ce que vous croyiez [kʀʀajje], en villégiature, en Hollande.*

5. Dans les couples de consonnes suivantes, indiquez quelle est la plus forte par nature : p - f, k - b, ʀ - d, m - g, t - ʒ, k - ʀ, g - l, d -ʀ, s - ʒ, s - z

6. Transcrivez les énoncés suivants en notant les assimilations, s'il y a lieu :
   Prenez ça. Brisez-le. J'pousse. J'prie. C'est très droit. C'est d'travers. L'anecdote est obscène. Le médecin en est triste.

7. Transcrivez les énoncés suivants en appliquant les règles de l'harmonisation vocalique : *Quelle tête ! Il est têtu. Elle fête son succès. Elle l'a déjà fêté. Quelle énergie ! Elle est énervée. J'ai observé qu'elle n'a pas aimé les ébénistes. Les portes sont fermées à clé.*

8. Comment pourrait-on expliquer les deux prononciations de la finale de *journalisme* : [ism] et [izm] ?

9. Expliquer le mécanisme des assimilations dans :
   chapeau d'paille, tout d'suite, sac de pois, bec de canne, j'crois, litre.

10. Expliquer de même le mécanisme de l'assimilation de [lannã] pour *là-dedans*.

8

ASPECTS ACOUSTIQUES ET AUDITIFS

1. DEGRÉS DE PÉRIODICITÉ DES SONS DE LA PAROLE

Les sons de la parole sont faits de vibrations régulières, dites *périodiques*, pour les voyelles, et de vibrations irrégulières, dites *apériodiques*, pour les consonnes. On peut chanter une voyelle. Les cordes vocales vibrent alors de façon régulière, produisant un son harmonieux. La consonne sonore [l] appelée, de manière impressionniste, *liquide* et la consonne [ʀ], appelée aussi *liquide et* parfois *vibrante*, ont une sonorité très proche de celle des voyelles. (En réalité, tous les ʀ ne sont pas des vibrantes. Le [ʀ] dorsal, grasseyé et le ʀ dorso-uvulaire courant sont seulement fricatifs). Dans certaines langues, les *liquides* peuvent même jouer le rôle d'une voyelle, en devenant le nœud d'une syllabe, comme *Brn* en tchèque. Le [n] et le [m] sont également très vocaliques et on chantonne parfois en réduisant la vocalisation à un [m], pour lequel l'air sort uniquement par le nez et dont l'explosion buccale n'est pas réalisée.

Vous pouvez de même constater que l'on peut chanter plus ou moins sur les consonnes [v] [z] [ʒ]. Vous avez remarqué que toutes les consonnes dont on vient de parler sont des constrictives (dites aussi fricatives) *sonores*. Au contraire, les consonnes *sourdes* sont impossibles à chanter parce que les cordes vocales ne vibrent pas quand on les prononce. On peut prolonger [f] [s] [ʃ] parce que ce sont des constrictives mais non les moduler musicalement. Ce serait impossible pour [p] [t] [k] non seulement à cause du fait que les cordes vocales ne vibrent pas mais encore parce que ce sont des *occlusives*, donc des explosions *momentanées*.

De manière générale, on peut dire que les voyelles sont des sons musicaux et que les consonnes sont des bruits, accompagnés ou non de voisement (sonorité). C'est la proportion de bruit par rapport au voisement qui détermine le degré de musicalité de la consonne :
– les occlusives sourdes [p t k] ont un bruit d'explosion et pas de voisement ;
– les occlusives sonores [b d g m n n ɲ] ont un bruit d'explosion plus léger et du voisement ;

– les constrictives sourdes [f s ʃ] ont des bruits de friction et pas de voisement ;
– les constrictives sonores [v z ʒ l ʀ] ont des bruits de friction plus légers et du voisement.

2. STRUCTURATION HARMONIQUE DES VOYELLES

Chaque voyelle est constituée d'une note fondamentale, qui a la même fréquence que celle des cordes vocales. Chacun de nous parle sur une note vocalique moyenne, appelée *fondamental usuel*, qui correspond généralement à notre *euh...* d'hésitation. Pour les voix d'homme, aux environ de 120 vibrations par seconde, soit 120 *hertz*, en termes de physique. Pour les voix de femmes, à l'octave en dessus, donc aux environs de 240 hertz.

Mais on a vu que chaque voyelle prend une coloration, un *timbre* particulier, grâce à la forme des résonateurs constitués par les différentes positions de la langue et des lèvres dans la cavité buccale et par le jeu du voile du palais (voir chapitre 2). Le timbre est le résultat de l'addition des harmoniques, créés par les diverses cavités de résonances, au son fondamental. Un [i] ou un [a] peuvent être prononcés sur la même note, donc avoir le même nombre de vibrations des cordes vocales, mais le fait que la cavité antérieure est très petite pour le [i] va produire des harmoniques aigus, alors qu'ils seront beaucoup plus graves pour le [a] dont la cavité antérieure est beaucoup plus grande.

L'analyse du spectre acoustique des voyelles montre que les harmoniques sont renforcés dans certaines zones caractéristiques, appelées *formants* des voyelles, parce qu'ils « forment » le timbre. Chaque voyelle a deux formants, F1 et F2, qui sont essentiellement responsables du timbre. Si l'on supprime l'un des deux, l'autre n'est plus reconnaissable.

Le classement acoustique des voyelles correspond à leur classement articulatoire. Chaque série vocalique a ainsi le même formant bas, F1. C'est le deuxième formant, F2, qui différencie les voyelles de chaque série.

Pour la série [i] [y] [u]   F1 = 250 Hz et F2 est, dans l'ordre : 2 500, 1 800, 750.
Pour la série [e] [ø] [o]   F1 = 375 Hz et F2 est, dans l'ordre : 2 200, 1 600, 750
Pour la série [ɛ] [œ] [ɔ]   F1 = 550 Hz et F2 est, dans l'ordre : 1 800, 1 400, 950
Pour la série [a] [ɑ]   F1 = 750 Hz et F2 est, dans l'ordre : 1 700 et 1 200

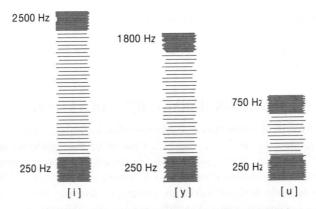

Figure 9. Schémas acoustiques (analyse harmonique spectrale) des voyelles [i] [y] et [u]. Les trois voyelles de cette même série ont en commun le formant bas à 250 hertz mais se différencient par le formant haut. Lorsque les formants sont rapprochés, on dit que la voyelle est *compacte*. Si les formants sont écartés, on dit que la voyelle est *diffuse*.

Les voyelles nasales ajoutent au formant de la voyelle orale correspondante un troisième formant, relativement bas, le même pour toutes, à 600 hertz.

3. STRUCTURATION ACOUSTIQUE DES CONSONNES

Vous avez vu, ci-dessus, que les consonnes se distinguent des voyelles surtout par les bruits de friction, pour les constrictives, ou d'explosion pour les occlusives. Il faut ajouter que les consonnes sont des transitions rapides, alors que les voyelles représentent une vocalisation relativement stable et longue. C'est, en réalité, la déformation du spectre vocalique, causée par la consonne contiguë, qui permet de percevoir une consonne, surtout s'il s'agit d'une occlusive.

Les constrictives se distinguent entre elles par des bruits de friction d'intensité et de hauteurs différentes. Ainsi le [f] et le [v] sont très faibles mais s'étalent sur un spectre de fréquence de 0 à 11 000 hertz. Le [s] et le [ʃ] sont les plus intenses des constrictives. Le spectre intense du [s] s'étale de 3 500 à 10 000 hertz. Le [z] est beaucoup plus faible. Le couple [ʃ] [ʒ] se situe entre 2 500 et 8 000 hertz et la sonore est, ici aussi, la plus faible. Quand on vieillit, on entend moins bien les consonnes aiguës, d'où des confusions entre [f] est [s] par exemple, surtout au téléphone.

4. DURÉE INTRINSÈQUE ET ALLONGEMENT CONDITIONNÉ

Durée intrinsèque

Chaque son de la parole a une durée qui lui est propre. Les plus grandes variations sont pour les consonnes. On a vu que les occlusives, comme [p] [t] [k], sont très brèves, par rapport aux constrictives telles que [f] [s] [ʃ] et que, dans chacune de ces catégories, les sourdes sont toujours plus brèves que les sonores. Ainsi, toutes choses égales par ailleurs, [f] [s] [ʃ] sont toujours plus brèves que leurs correspondantes [v] [z] [ʒ].

La durée moyenne d'une syllabe peut varier, dans la conversation ordinaire, entre 7 ou 8 centisecondes, pour les inaccentuées, et 15 à 20 centisecondes pour les syllabes accentuées. Mais, dans un parler expressif, on peut avoir des syllabes beaucoup plus courtes ou beaucoup plus longues.

Durée conditionnée

Dans une syllabe, une voyelle est raccourcie par l'occlusive qui la suit. Ainsi *sec* est plus bref que *sèche*. Deux consonnes dans la même syllabe raccourcissent la voyelle. Le [ɛ] de *secte* et plus bref que celui de *sec*.

Vous vous souvenez que les voyelles sont automatiquement allongées par [ʀ] [z] [v] [ʒ] et [vʀ] et que les voyelles [ɑ] [o] et les nasales sont longues quand elles sont suivies d'une consonne prononcée (pp. 34-35).

5. EFFETS SONORES ET SYMBOLISME DES TIMBRES VOCALIQUES

Motivation acoustique

Si on vous demandait quelle est la plus *pointue* des deux voyelles [i] et [u], vous répondriez sans doute, comme la plupart des personnes que les psychologues ont interrogées, c'est le [i]. Pourquoi ? Probablement parce que vous avez senti le caractère aigu du formant haut de [i] comme plus aigu, et que vous avez associé cette qualité à celle de quelque chose de pointu. Vous donneriez aussi probablement le caractère de plus *grave* ou plus *sourd* au [u] à cause de son formant grave.

Motivation articulatoire

En essayant de trouver d'autres qualificatifs symboliques de ces deux voyelles, vous diriez aussi probablement que le [i] est plus *proche*, le [ɑ] plus *lointain*. Dans ce cas, vous auriez fait une autre association, cette fois entre l'articulation et le timbre. C'est l'articulation antérieure de [i] qui vous aura suggéré la proximité et l'articulation postérieure de [ɑ] qui vous aura fait penser au qualificatif lointain.

La structure acoustique des phones ainsi que leur mode d'articulation motivent ainsi toute une foule d'associations symboliques. Mais on a montré que les voyelles extrêmes, particulièrement [i], [a] et [u], sont les seules sur lesquelles l'accord soit assez grand. Les voyelles nasales, dont le timbre est un peu voilé par le formant relativement bas de 600 hertz, sont souvent interprétées comme plus douces, plus *graves*, de là plus *tristes*, comme dans ces vers de Baudelaire :

> …Le soleil moribond s'endormir sous une arche
> Et, comme un long linceul traînant à l'orient,
> Entends, ma chère, entends la douce nuit qui marche.

Motivation sémantique

Mais il est bien évident aussi que l'idée de gravité et de tristesse est d'abord suggérée par le texte, son vocabulaire et son rythme. Des mots comme *sensation*, *sentiment*, *enfant*, *bonbon*, *instinct*, *vingt-cinq*, etc., qui renferment des voyelles nasales, n'ont aucune connotation de gravité ou de tristesse. De même les mots *triste*, *coucou*, *malade*, n'évoquent aucun des qualificatifs attribués généralement aux sonorités du [i], du [a] ou du [u] isolés. Il faut donc être très prudent dans les commentaires littéraires en essayant de montrer comment le poète utilise les sonorités.

On s'aperçoit que les bons poètes emploient souvent les sonorités vocaliques comme un simple accompagnement musical. La seule répétition d'un même timbre suffit à créer la musique du texte, comme dans cet extrait : « Les roses dormaient sur les rosiers et près des roses les rossignols » (Barrès). On sent que l'auteur a joué sur la modulation des O, pour en tirer un effet harmonieux.

6. EFFETS SONORES DES ALLONGEMENTS VOCALIQUES

Dans la parole proférée, toute voyelle peut être allongée volontairement pour marquer l'insistance, comme : « C'est loin !...» [sɛlwɛ̃::::]. Mais les poètes, eux, doivent compter sur les allongements prévus par la langue, ceux auxquels tout le monde obéit sans le savoir. Ils utilisent donc les allongements conditionnés par la nature des voyelles et des consonnes. On a remarqué, par exemple, que le pantoum de Baudelaire, *Harmonie du soir*, a toutes ses rimes en *-oir* ou *-ige*. Dans les deux cas, la voyelle finale est allongée automatiquement par la consonne douce, allongeante, qui suit. Le tout contribue à donner une musicalité qui convient bien à l'atmosphère suggérée par le texte du poème.

7. EFFETS SONORES ET SYMBOLISME DES CONSONNES

Si les voyelles ne fonctionnent guère que comme accompagnement musical, les consonnes ont un rôle expressif un peu plus précis. En les prononçant séparément, vous pouvez constater le caractère qu'on leur attribue d'habitude. Mais rappelez-vous que le contexte reste le plus important — R paraîtra doux dans *la brise* et dur dans *Il le brise* :

– *liquides* : [l] et [ʀ] (bruit doux, fluide). Les Grecs ajoutaient [m] et [n] ;

– *explosives* (bruit d'explosion) : les occlusives sourdes fortes [p] [t] [k] et les occlusives sonores plus douces [b], [d], [g] ;
– *sifflantes* (bruits de friction plus ou moins aigus) : la fricative stridente aiguë [s] et la plus grave « soufflante » [f] ;
– *chuintante* (bruits de friction plus graves que ceux des sifflantes) : [ʃ] ;
– *mouillées* (bruit de salive contre le palais) : les palatalisées (voir p. 62), le yod [j] et le [ɲ] ;
– *vibrantes* (vibration de la pointe de la langue ou de la luette) : le [r] apical ou le R uvulaire roulé (celui d'Édith Piaf dans ses chansons).

Mais il faut bien noter que si l'on peut attribuer un effet de symbolisme sonore à une consonne, c'est pour trois raisons : 1) parce qu'elle charpente une *onomatopée* ; 2) ou qu'elle apparaît dans un *mot onomatopéique* ; 3) ou dans une séquence de *mots dont le sens se prête à l'accompagnement expressif* de la consonne.
– Une onomatopée est une séquence de sons qui tente d'imiter un bruit, comme un cri d'animal (*coucou, cocorico, grr, oua-oua, hi-han, meuh...*), le bruit de l'eau (*glouglou*), un bruissement (*frrrt*), un bruit répété (*tic-tac*), etc.
– Un mot onomatopéique suggère, par imitation phonétique, le sens qu'il évoque, comme *mugir, gronder, éclater, fracasser, roucouler, vrombir, bégayer, péter, cracher*, etc.
– L'accompagnement expressif utilise un contexte phonique pour renforcer, par des sonorités, le sens suggéré par le texte. Dans le célèbre vers de Racine : « Pour qui sont ces serpents qui sifflent sur nos têtes », l'accumulation des [s] renforce le sens donné par *serpent* et *sifflent*. Mais il est bien évident que les autres mots contenant un [s], *sont* et *ces*, n'ont en eux-mêmes aucun pouvoir expressif. Leur consonne initiale [s] vient s'ajouter de manière expressive à celles des mots *sifflent* et *serpent*, dont le contenu est expressif.

8. COLORATION SONORE ARTICULATOIRE DU FRANÇAIS

Quand vous écoutez une langue étrangère, même si vous ne la comprenez pas, vous en recevez une impression sonore, comme lorsque vous écoutez de la musique. L'italien peut paraître plus chantant que l'espagnol, parce qu'il module davantage son intonation, et le tahitien plus doux que l'arabe parce qu'il est plus vocalique. Chaque langue a ainsi sa manière d'utiliser son matériel sonore. Essayons de voir quelle est la coloration sonore du français.

En fait, il y a deux facteurs qui donnent à une langue sa coloration sonore. L'un est linguistique, l'autre est phonétique. Le premier concerne le stock des phones, voyelles et consonnes, ainsi que celui des unités prosodiques (accentuelles et intonatives) et leur distribution dans la langue. Le second concerne la manière de les oraliser.

Facteurs linguistiques

Le premier facteur linguistique est la *distribution des phonèmes*. L'examen du système phonologique maximal du français nous montre que nous avons à notre disposition 16 voyelles et 21 consonnes et semi-consonnes. Mais dans l'usage de la parole leur utilisation est la suivante :

– en parlant, on emploie, *grosso modo*, autant de voyelles que de consonnes ;
– les voyelles antérieures représentent les deux tiers de toutes les voyelles ;
– les voyelles arrondies (labiales) totalisent plus d'un tiers de toutes les voyelles ;
– les voyelles nasales donnent aussi leur originalité au français, qui en compte un sixième du stock total ;
– pour les consonnes, il est intéressant de constater que les sonores sont beaucoup plus nombreuses que les sourdes. D'autre part, les occlusives sont deux fois moins nombreuses que les fricatives. Et, dans ce dernier groupe, les « liquides », qui sont très vocaliques, sont les plus nombreuses.

En résumé, on peut donc dire que le français est une langue à articulation *antérieure*, *sonore* et relativement *douce*.

Le second facteur linguistique est la *prépondérance des syllabes ouvertes*. Si vous découpez en syllabes une phrase quelconque, vous constaterez qu'entre 70 et 80 % des syllabes se terminent par une voyelle prononcée, comme dans les 10 premières syllabes de cette dernière phrase : /ka-tRə-vɛ̃-puR-sɑ̃-de-si-lab-sə-tɛR/ (7 sur 10 sont ouvertes ici).

Le résultat est que le français est plus sonore, plus musical à l'oreille que les langues anglo-saxonnes ou germaniques où c'est le pourcentage des syllabes fermées qui est le plus important.

Facteurs phonétiques

– *Enchaînements et liaisons.* La préférence du français pour les syllabes ouvertes a pour conséquence, à l'intérieur d'un groupe rythmique, de faire passer dans la syllabe suivante la consonne finale prononcée du mot précédent. On syllabera ainsi : *les livres* [le-livʀ$_0$] mais *livre utile* [li-vʀy-til]. Ce phénomène de syllabation, typiquement français, s'appelle *enchaînement consonantique*. Phonétiquement, c'est l'équivalent de la *liaison* (voir ci-dessus, chapitre 4, pp. 39-40).

– *Attaque vocalique douce.* Les voyelles du français commencent doucement, sans coup de glotte (voir p. 25), comme en allemand, en anglais ou en arabe.

– *Finales vocaliques nettes.* Sans diphtongue.

– Consonnes jamais « aspirées » (il faudrait dire « soufflées »). Mais elles peuvent l'être dans certains dialectes et aussi dans les français du Canada, où on trouve aussi des consonnes comme [pʰ] [tʰ] [kʰ]pour [p] [t] [k].

– *Tension articulatoire.* L'articulation normale du français est *tendue*, c'est-à-dire que les muscles font un effort assez grand pour que chaque phone soit perçu nettement. Si une voyelle ou une consonne disparaissent, comme dans *la f(e) nêt (re)* [lafnɛt], leur disparition est totale. Il n'y a pas non plus de diphtongue, comme en anglais. (Une diphtongue est une voyelle, émise en une seule émission syllabique, mais avec deux timbres ; comme dans l'anglais *I find* [a$_i$ fa$_i$nd].)

Il faut encore ajouter à ces facteurs phonétiques de l'articulation, ceux de *l'accentuation et de l'intonation*. Le français se distingue d'autres langues par le fait que son accentuation ne dépend pas du lexique, comme en anglais, par exemple, où l'on dit `Canada, avec accent sur la première syllabe, mais *Ca`nadian*, avec accent sur la seconde syllabe et où l'on oppose *an `accent* (nom) avec l'accentuation sur la première syllabe à *to ac`cent* (verbe) avec accent sur la dernière syllabe. *Tous les mots, en français, sont accentués sur la dernière syllabe et, dans le groupe rythmique, cet accent s'efface au profit de l'accent final.* L'accent est en fait déterminé par la syntaxe. Cela donne au français une allure sonore toute particulière et la réalisation phonétique de l'accent est beaucoup plus faible que dans d'autres langues puisque sa place n'a pas d'importance linguistique.

L'intonation du français se distingue aussi de celle des autres langues en ce qu'elle est, comme l'accentuation, liée à la syntaxe. De plus, les montées et descentes mélodiques sont plus concentrées aux points d'accentuation (voir chapitres suivants).

Exercices (réponses p. 116)

1. Indiquez, pour chacun des groupes suivants, quel est le son le plus harmonieux : p/ʒ/a   s/l/k   f/m/d   n/o/z   j/u/k   l/i/ʀ   /ʃ/l/g   g/f/s   t/f/z   ʀ/d/s

2. Quelles sont les voyelles correspondant aux formants suivants :
250/1 800   375/2 200   750/1 700   250/2 500   375/750

3. Indiquez les formants des voyelles suivantes : [y]   [o]   [ɛ]   [ɔ]   [u]

4. Quels sont les formants des voyelles nasales correspondant aux voyelles orales suivantes : [ɛ]   [ɑ]   [o]

5. Quelles sont les deux constrictives les plus intenses ?

6. Classez les mots suivants selon la longueur de la voyelle, de la plus brève à la plus longue : *brève, secte, strict, beau, bac.*

7. Transcrivez en API, en indiquant les allongements :
la rose rouge, rouge pâle, sac orange, une autre, une autre amie.

8. Pourquoi les mots suivants semblent-ils suggestifs ? (structure sonore, morphologique ou sémantique) *pique, tambour, hurluberlu, tocsin, tinta-marre, bobo, hululement, coucou, cocorico, vindicatif.*

9. Analysez les effets sonores de ces deux vers :
Les souffles de la nuit flottaient sur Galgala (Hugo)
Le long d'un clair ruisseau buvait une colombe (La Fontaine)

10. Transcrivez en phonétique le texte suivant et calculez le pourcentage des syllabes ouvertes :

Je l'ai voulu aimer
mais elle était de bois
Quand je l'ai caressée
du bout des doigts
je me suis planté
une écharde en plein cœur

Christian Polianec, *Poésie* (n° 118-121 : 86)

L'ACCENTUATION, LES PAUSES ET LE RYTHME

1. L'ACCENTUATION SÉMANTIQUE

Nature de l'accent

Mettre un accent, c'est donner du relief sonore à une syllabe.

On donnait autrefois le nom d'accent tonique à l'accent final. Mais « tonique » voudrait dire que l'accent dépend du « ton », ce qui est faux, en français, puisque les 2 seuls paramètres acoustiques vraiment propres à l'accentuation sont la durée et l'intensité.

Le terme *accent* désigne souvent aussi une façon de prononcer perçue comme déviant de la norme qu'on s'est imaginée. On parle ainsi d'accent du midi, du nord, d'accents étrangers, etc. C'est pourquoi le terme *accentuation* serait préférable pour désigner la fonction linguistique seule. On gardera néanmoins ici le terme traditionnel d'*accent*, utilisé partout.

Pour réaliser l'*accent* phonétique, qui nous intéresse seul ici, il y a deux moyens essentiels : un accroissement de la *durée* et un accroissement de l'*intensité*. Il s'y ajoute le plus souvent un changement de la hauteur mélodique.
– Une syllabe accentuée est, en français, généralement deux fois plus longue qu'une syllabe inaccentuée.
– L'intensité de l'accent est variable mais elle n'est jamais très élevée par rapport à celle des syllabes inaccentuées.
– La voyelle accentuée change souvent de hauteur. Elle monte généralement quand la phrase n'est pas terminée et descend à la fin. Les variations de hauteur appartiennent au système intonatif mais comme elles coïncident avec le système accentuel, on a l'habitude d'associer ce rôle intonatif à celui de l'accentuation.

Rôle et place de l'accent : groupes sémantiques ou rythmiques

Lorsque vous prononcez une phrase telle que : *Oui/ Demain/ je partirai/ vers cinq heures/ s'il fait beau/*, vous aurez tendance à la diviser comme on l'a fait ici. Vous constatez que ce découpage est conforme au *sens*. C'est pourquoi on appelle les séquences ainsi déterminées des groupes *sémantiques*. Une telle division pourrait se faire par des pauses, comme lorsqu'on dicte un texte. Mais d'ordinaire, on se contente de mettre *un accent à la fin de chacun des groupes sémantiques*.

Il faut noter que, sous l'effet de l'expressivité, l'accentuation finale du français moderne se déplace souvent sur une autre syllabe. Au théâtre, par exemple, les finales sont parfois difficiles à entendre. Mais dans une conversation ordinaire, l'accentuation finale (oxytonique) se maintient assez bien.

On appelle aussi les groupes sémantiques *groupes rythmiques* parce que l'accentuation nous donne la perception d'un rythme, plus ou moins régulier.

Dès que le mot n'est plus isolé, en français, il perd son accent au profit du groupe. On n'a pas besoin de détacher tous les mots pour être compris. Certes, si le mot est isolé, il porte un accent. On dit *un pe\ tit*, avec l'accent sur la dernière syllabe, mais dans *un petit en\ fant*, l'accent se déplace à la fin du groupe rythmique.

Le rôle de l'accent est donc de découper les énoncés en groupes pas trop longs pour les rendre plus faciles à comprendre. Ce rôle n'est pas, comme celui des phonèmes, distinctif. On ne peut pas opposer un accent à un autre pour créer un nouveau sens linguistique. Le rôle de l'accent est différent. On dit qu'il est *démarcatif*. Il aide à délimiter les unités de sens mais il ne les créée pas.

Accent secondaire

Rappelez-vous (voir pp. 30-31) qu'il arrive, dans un groupe sémantique long, que l'on mette un accent secondaire sur un mot plein non final. Cet accent est alors moins marqué que l'accent principal.

2. L'ACCENTUATION EXPRESSIVE : L'ACCENT D'INSISTANCE

À côté de l'accent à fonction linguistique, vous pouvez noter qu'il existe un accent expressif, qui est un choix du locuteur. Cet accent vous permet d'insister sur un mot ou d'exprimer vos émotions. On peut le noter par un double signe d'accentuation.

– Il peut consister à *détacher les mots,* c'est-à-dire à multiplier les accents. Vous pouvez dire ainsi : *Ne* `` *touche à* `` *aucun des* `` *objets,* vous pouvez même détacher les syllabes, comme le fait de Gaulle dans un de ses discours, lorsqu'il affirme, en martelant chaque syllabe : *Ce* ` *là* ` *Je* ` *ne* ` *le* ` *fe* ` *rai* ` *pas.*

– Mais le plus souvent, vous allez insister sur un mot qui vous paraît important. Ainsi, quand vous voulez souligner fortement que quelque chose est formidable, vous allez renforcer la première syllabe et dire ce qu'on pourrait écrire : *FFFFOORmidable !*

Dans ce cas, la consonne initiale devient plus longue, plus forte et la voyelle qui la suit devient plus haute.

– Si le mot à mettre en relief n'a pas de consonne initiale, on en fabrique une, le *coup de glotte* (voir p. 25) Au lieu de prononcer *Encore !* [`` ɑ̃kɔ:ʀ] vous prononcerez [ʔɑ̃kɔ:ʀ]. Vous aurez ajouté le phone [ʔ] en contractant brusquement vos cordes vocales.

– On peut aussi utiliser une consonne de liaison, comme le [t] par exemple dans : *C'est idiot !* [sɛ`` tidjo].

– Augmenter la hauteur de la voix est aussi un autre procédé, comme dans (2) :

    (1) C'est extraordinaire !   (2) C'est ahurissant !

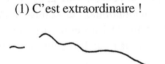 

    [sɛ`` tɛkstʀaəʀdinɛ:ʀ]      [sɛta`` yʀisɑ̃]

Figure 10. Schémas d'accents d'insistance : (1) intellectuel, (2) émotionnel.

L'accent d'insistance consonantique est généralement perçu comme « intellectuel » et celui qui utilise l'intonation comme « émotionnel ».

3. Groupe sémantique, groupe phonique et groupe de souffle

Quand vous parlez, il vous arrive d'être interrompu ou de vous arrêter vous-même de parler pour une raison quelconque. Le *groupe sémantique*, appelé aussi *groupe rythmique*, que vous avez commencé peut alors être tronqué, comme : [odebyd], [odebydla], [odebydlasm], qui pourrait être le commencement de *Au début de la semaine*. Vous avez dit une série de syllabes, jointes ensemble, qui forment un *groupe phonique*, avec ou sans signification.

Si vous vous arrêtez pour prendre une respiration, ou tout au moins marquer une pause importante, on dira qu'il s'agit d'un *groupe de souffle*. On le note parfois par deux barres verticales. On trouve surtout ce type de pause en finale de phrase ou de paragraphe. Une pause moins importante est notée par une seule barre verticale.

4. Pauses sémantiques, a-sémantiques et jonctures

Vous voyez donc qu'il existe plusieurs types de pauses. Une pause d'hésitation n'a pas de rôle linguistique. Elle est *a-sémantique*. Par contre, la pause qui suit un accent renforce le rôle démarcatif de l'accentuation. On peut même se servir de la pause et de l'accentuation pour lever une ambiguïté. Comparez ainsi les énoncés suivants :

1) Le pape # a mangé   2) Le papa # mangeait

3) Le tiroir est ouvert   4) Le tiroir est # tout vert

Si l'on prononçait sans s'arrêter ces énoncés, on pourrait confondre les deux paires opposées.

Toute possibilité de disjoindre ainsi des groupes phoniques par une pause occasionnelle (dite aussi *virtuelle*) s'appelle *jonction* ou *jointure*. S'il s'agit de syllabes, on parle de *jonctures internes* (notées par [+]) et s'il s'agit de groupes sémantiques, on parle de *jonctures externes* (notées par [#]). On pourra écrire, par exemple :

La vie des oiseaux n'est pas facile à Paris
[la+vi+de+zwa+zo # nɛ+p*a*+fa+sil # a+*pa+ri]

Les pauses et l'accentuation dépendent en partie de la personnalité de ceux qui parlent, de la situation, des émotions, mais aussi, comme on va le voir, de la langue elle-même.

5. L'ACCENTUATION, LA DURÉE SYLLABIQUE ET LE RYTHME

Le rythme est créé par le retour, à intervalles plus ou moins réguliers, d'un temps fort. Il faut souligner qu'il y a en effet des rythmes plus ou moins réguliers, dans la musique, surtout moderne (le rap, par exemple) comme dans la parole. Vous pouvez vous en apercevoir en comptant le nombre des syllabes des groupes rythmiques successifs.

Toutes les syllabes inaccentuées ont, pour notre oreille, sensiblement la même durée. Toutes les syllabes accentuées fonctionnent comme un temps fort, qui vous donne l'impression du rythme de la phrase. Rappelez-vous qu'en français la syllabe accentuée, la dernière du groupe rythmique, a une durée environ deux fois plus longue que celle des syllabes inaccentuées. Voici un exemple de rythme de la conversation :

(Attendez-`moi), (i`ci), (`oui). (Ne vous inquiétez`pas), (je r(e)`passe) (à trois `heures)

    4   2   1   6   2   3

Dans cet exemple, vous voyez que les accents reviennent à intervalles presque tous différents. Mais le hasard fait bien les choses et, si vous faites la même expérience avec un texte assez long, vous verrez apparaître une certaine régularité rythmique. Selon le type de discours — conte, récit, oraison, conversation — la longueur du groupe rythmique varie. Elle semble être, en moyenne, de 3 à 4 syllabes, dans la conversation. Mais on peut avoir des groupes très courts, d'une syllabe, et d'autres très longs, mais rarement de plus de 7 syllabes.

6. L'UTILISATION POÉTIQUE DU RYTHME

Les poètes ont bien vu le parti qu'ils pouvaient tirer du rythme. Le poème classique est d'abord une structure rythmique, basée sur *le rythme syllabique*. Ainsi l'alexandrin, quelle que soit la place des accents, est un vers de 12 syllabes, divisé en quatre groupes rythmiques, comme dans ces vers de Paul Éluard :

> Je n'ai rien séparé mais j'ai doublé mon cœur
> [ʒəne`ʀjɛ̃ sepa`re mɛʒedu`ble mõ`kœːʀ]
>   3   3   4   2

> D'aimer, j'ai tout créé : réel, imaginaire
> [de`me ʒetukʀe`e ʀe`ɛl imaʒi`nɛːʀ]
>   2   4   2   4

Votre oreille entend ces répétitions de groupes de 1 à 4 ou parfois 5 syllabes et celle des vers de 12 syllabes. Chacun de ces *groupes rythmiques* s'appelle, comme en musique, une *mesure*. Dans l'alexandrin, les poètes ont une préférence pour les groupes de 2, 3, ou 4 syllabes. Cela n'est pas étonnant puisque ce sont les groupes les plus courants dans la parole ordinaire. De plus, le vers classique a toujours un accent à la sixième syllabe. Il créée ainsi une joncture (avec éventuellement changement d'intonation et pause) que l'on appelle en rhétorique la *césure*. Chaque partie du vers constitue un *hémistiche*.

Le rythme ne repose pas uniquement sur la perception de patrons syllabiques, plus ou moins semblables, mais aussi sur celle de la répétition des accents. Ainsi, pour l'alexandrin classique, la répétition de 4 accents par vers. Le rythme parfait serait un accent toutes les 3 syllabes comme dans ce vers d'Apollinaire :

> Et je `porte avec `moi cette ar`dente sou`ffrance.
>   3   3   3   3

Mais cette *isochronie* (ce même temps des mesures) finirait par être monotone.

7. ISOCHRONIE, DICTION CLASSIQUE ET EFFETS RYTHMIQUES

On constate pourtant que l'on a tendance, dans la diction classique des vers, à retrouver une quasi-égalité des mesures. Les poètes astucieux ont su en profiter pour mettre en valeur certains aspects de leurs textes. Ainsi Ronsard, dans les vers suivants :

> Quand vous se`rez bien `vieille au `soir à la chan`delle.
> 4   2   2   4

Si vous lisez ce vers en donnant la même importance, la même durée, à chaque mesure, vous mettrez en relief les groupes de 2 syllabes, *bien vieille* et *au soir*, qui sont ici les plus significatifs. C'est ainsi que le poète nous fait insister sur les termes qui marquent la vieillesse et le soir (de la vie).

Le vers suivant de Racine vous donne un autre exemple de l'effet produit par le changement de rythme syllabique. La mesure d'une syllabe, « Dieu », est mise en relief par sa place après la césure mais aussi par son contraste avec celle de cinq syllabes qui la suit :

> Et comptez-\vous (4) pour \rien (2) \Dieu (1) qui combat pour \nous (5).

Il existe de nombreuses autres manières de produire des effets rythmiques, par exemple l'accumulation des accents, comme dans ce vers de Hugo :

> Fu`yards, mou`rants, cai`ssons, bran`cards, ci`vières.

8. E CADUC ET DICTION CLASSIQUE DES VERS

Dans la diction classique des vers, il est très important de respecter les règles suivantes, pour la prononciation du E caduc :
1) on le supprime toujours devant voyelle et en finale de vers ;
2) on le prononce toujours dans tous les autres cas, à l'intérieur du vers.

Exemple : Au moment qu*e* j*e* parl(e), ah ! mortell*e* pensé(e)
   Ils brav*ent* la fureur d'un(e) amant(e) insensé(e) (Racine, *Phèdre*).

Si on ne respecte pas ces règles, le rythme des vers devient boiteux.

9. ACCENTUATION ET LIAISON

On a vu que la liaison est la survivance de la prononciation d'une consonne que l'on ne prononce plus en finale mais qui a continué à se prononcer à l'intérieur d'un groupe rythmique. (voir pp. 39-41). Ainsi le **s** final de *les* dans *Prends-les* ne se prononce plus mais il se prononce dans *les amis*.

L'accent crée une division, une sorte de frontière rythmique, après quoi on ne fait plus la liaison. Le **s** final du mot *les* ne pourrait pas se prononcer dans *Prends-`les + avec `toi* parce que l'accent sur *les* introduit une frontière devant le groupe suivant. La liaison est interdite.

C'est dans la mesure où le groupe rythmique a une forte ou faible cohésion qu'on a des liaisons obligatoires ou facultatives. L'article et l'adjectif se lient toujours au nom, comme le pronom se lie toujours au verbe : *les amis, vos enfants, tes idées, jolies histoires, ils arrivent...* Mais il est très net qu'après une forme verbale, la liaison facultative dépend beaucoup du degré d'accentuation. Dans une phrase comme : *Il habi`tait # une belle maison*, il y a moins de chance de faire la liaison après *habitait* qu'après le *est* dans *Il y est+allé*.

Exercices (réponses p. 117)

1. Transcrivez les phrases suivantes. Mettez les accents et les pauses. Notez les allongements :

    a) *Selon Mathurin Régnier, péché caché est à demi pardonné.* b) *La nudité est une absence de vêtements qui ne manque généralement pas d'effets.* c) *L'humour est la politesse du désespoir.* d) *On peut toujours parler des anges sans en avoir vu.* e) *L'humour noir, c'est prendre la mort du bon côté.*

2. Comment l'accentuation peut-elle créer un sens absurde dans l'avertissement : *Il est interdit de jouer au ballon avec les pieds dans la rue* ?

3. Transcrivez les énoncés suivants en marquant les procédés d'insistance possibles :

a) Je vous adore. b) Je t'aime à la folie. c) Je le hais. d) Ne me le dites pas. e) Taisez-vous !

4. Comment peut se manifester l'accent émotionnel dans les énoncés suivants ?

Il est irresponsable. J'ai adoré ça. Votre robe est superbe ! C'est un hurluberlu ! C'est inimaginable !

5. Notez les accents et les groupes de souffle dans la phrase suivante, dont on a supprimé la ponctuation (accent ['] demi-accent ['] groupe de souffle [||]) :

« Freluquet au long cou surplombé d'un chapeau cerné d'un galon tressé roquet rageur rouspéteur et sans courage qui fuyant la bagarre allas poser ton derrière moissonneur de coups de pieds au cul sur une banquette en bois durci soupçonnais-tu cette destinée rhétorique lorsque devant la gare Saint-Lazare tu écoutas d'une oreille exaltée les conseils de tailleur d'un personnage qu'inspirait le bouton supérieur de ton pardessus ? (Raymond Queneau, *Exercices de style*, p. 92).

6. Transcrivez l'énoncé suivant, en notant les jonctures internes et externes :

L'escargot pressé doit tenir compte de la vitesse du vent.

7. Notez le rythme syllabique (nombre de syllabes) et accentuel (répartition des accents) dans les vers suivants :

La lune s'attristait. Des séraphins en pleurs
Rêvant, l'archet aux doigts, dans le calme des fleurs
Vaporeuses, tiraient de mourantes violes
De blancs sanglots glissant sur l'azur des corolles.
    (Stéphane Mallarmé, *Premiers poèmes*).

8. Dans le texte ci-dessus, si on respecte le principe d'isochronie pour la diction des vers, quels sont les groupes rythmiques qui seront mis en relief ?

9. Quels effets Mallarmé tire-t-il de la pause entraînée par la fin de chaque vers ?

10. Indiquez, dans les alexandrins classiques suivants, quels sont les E caducs prononcés :

Il est de forts parfums pour qui toute matière
Est poreuse. On dirait qu'ils pénètrent le verre.
En ouvrant un coffret venu de l'Orient
Dont la serrure grince et rechigne en criant [...]

(Charles Baudelaire, « Le flacon », *Les Fleurs du Mal*.)

L'INTONATION

1. LA MÉLODIE ET L'INTONATION

Quand vous parlez, votre voix monte ou descend. La ligne musicale de votre discours en constitue la *mélodie*. Dites :
– *Vous partez ?*
– *Oui.*
– *Je vais avec vous.*
– *Dépêchez-vous.*
– *Formidable !*
Vous entendez monter votre voix pour la question, descendre pour la réponse, monter puis descendre pour la phrase suivante, descendre nettement pour l'ordre et enfin faire une saute brusque, généralement très haute, pour l'exclamation.

La mélodie peut prendre des formes très diverses, apportant chaque fois une signification que le sens lexical n'aurait pas pu transmettre tout seul. Mais le nombre de ces significations n'est pas infini. On peut en dégager un système, fait d'*un nombre limité de patrons*, c'est-à-dire de schémas mélodiques significatifs, reconnus par tout le monde. L'ensemble de ces patrons constitue l'*intonation* du français.

2. INTONATION, SÉMANTIQUE ET PHONOLOGIE

Puisque l'intonation contribue à la signification des énoncés elle fait partie de la sémantique. On dit que le rôle de l'intonation, comme celui de toute la *prosodie* (accentuation, pauses, mélodie) est *significatif*. En cela, on l'oppose au rôle *distinctif* des phonèmes. Pourtant, il y a des cas où l'intonation joue un rôle analogue à celui des phonèmes. On pourra parler d'une opposition entre des patrons intonatifs, que certains phonéticiens appellent alors *intonèmes* (terme fait sur le modèle de *phonème*), comme dans :
1) Ils s'en vont. (déclaration) / Ils s'en vont ? (question)

2) Vous vous reposez bien. (déclaration) / Vous vous reposez bien ! (ordre)
3) J'aime le thé… (continuité, énoncé non terminé) / J'aime le thé (finalité).

Mais pour les phonologues classiques, l'analogie avec les phonèmes s'arrête là. Un phonème s'oppose à un autre sur un point précis de la chaîne parlée, comme /p/ et /b/ dans *pas/ bas* ou /t/ et /d/ dans *sept/cède*, alors que les intonèmes représentent des segments plus longs. D'autre part, les phonèmes se combinent pour former un grand nombre de mots qui s'assemblent à leur tour pour créer une infinité de sens nouveaux (voir p. 14).

La combinatoire des patrons intonatifs est moins grande au plan linguistique. Mais elle apporte au plan expressif de multiples variations de sens, comme celles de la joie et de la surprise, du doute et de la tristesse, mêlées à celles de la question, de la déclaration ou de l'ordre.

Le problème est que leur compréhension ne sera pas la même pour tout le monde lorsque interviennent trop de nuances expressives. Bien des gens ne seront pas d'accord pour savoir où finit la question et où commence la surprise puis l'exclamation, quand ils entendront prononcer l'énoncé suivant, avec une ligne mélodique de plus en plus élevée :

Ils s'en vont ?   Ils s'en vont ? !   Ils s'en vont !

Vous voyez, par ces exemples, que le rôle de l'intonation peut être double, linguistique et expressif.

3. RÔLE LINGUISTIQUE DE L'INTONATION

Si le rôle distinctif de l'intonation est limité à l'opposition des intonèmes de phrases, cela ne veut pas dire que l'intonation n'a pas de rôle linguistique. Elle assure la structuration syntaxique du discours en créant des *liens* entre les groupes rythmiques et établit une *hiérarchie* entre eux, grâce à des patrons mélodiques bien définis.

Rôle syntaxique

L'intonation assure le découpage syntaxique, en même temps que l'accentuation. C'est toujours la syllabe accentuée qui porte l'essentiel de l'information mélodique. L'intonation peut même remplacer une articulation grammaticale, comme dans :

Vous allez au cinéma, moi aussi. = *Si* vous allez… (opposition)

Il pleut, je reste. = Il pleut *donc*… (conséquence)

Le vent, la pluie, la tempête, rien ne l'arrête = *et… et… et…* (énumération)

Rôle sémantique de hiérarchisation
Dans une phrase comme la suivante, la mélodie organise les rapports d'importance entre les différents groupes syntaxiques :

Ce soir, si vous êtes libre, je vous invite au cinéma.

1) note la plus haute, indique le relief que vous donnez au complément circonstanciel placé en tête 2) sur un ton plus bas, indique une restriction, un fait considéré comme secondaire 3) la mélodie remonte pour indiquer la continuité 4) la voix descendante indique la finalité. Mais, dans cette même phrase, on pourrait également placer le sommet de hauteur mélodique sur *libre* et le sens serait différent.

4. LES NIVEAUX ET LES PATRONS INTONATIFS DU FRANÇAIS

Puisque les *patrons* sont des types intonatifs sur lesquels tout le monde s'accorde, ils ont bien une valeur linguistique dans la communication. On les décrit à l'aide de quatre *niveaux* de hauteur :

niveau 4 : question ou continuité majeure _____
niveau 3 : continuité mineure _____
niveau 2 : fondamental usuel de la voix _____
niveau 1 : finalité et incise (parenthèse basse) _____

Tableau 11. Les niveaux intonatifs de base

– *Fondamental usuel* (voir p. 67). Vous vous rappelez que le *fondamental usuel* de la voix est la hauteur moyenne des vibrations de nos cordes vocales. C'est la note à laquelle on revient toujours. On l'entend dans le *euh* d'hésitation ou le rire spontané et c'est cette hauteur qui nous sert de repère pour interpréter les différents niveaux de référence des patrons intonatifs.

Le schéma ci-dessous montre ces patrons de base de l'intonation du français.

– *Continuité mineure ou majeure.* Un groupe de continuité est indiqué par un patron montant de 2 à 3, on le dit parfois de *continuité mineure*. Si l'on veut mieux marquer la hiérarchie d'un patron de continuité par rapport à un autre, la mélodie pourra monter davantage sur le plus important, du point de vue du sens. On le dit parfois de *continuité majeure*. On aura alors un patron montant en finale de 2 à 4. Mais il faut noter que la pente ne sera pas aussi abrupte que celle d'un patron de question. La forme finale du patron (légèrement en S) est également différente (voir schéma ci-dessous).

– *Finalité et incise.* Le patron de finalité descend de 2 à 1. Le niveau 1 est aussi celui de l'incise, qui est une sorte de parenthèse dans un énoncé.

– *Question.* Il y a plusieurs patrons de question. Mais le plus courant, celui de la question *totale* de forme grammaticale affirmative, comme « Tu viens ? », monte abruptement de 2 à 4.

Voici un exemple de chacun de ces patrons, placés dans l'ordre des énoncés :

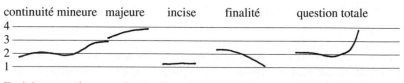

Tous ces patrons intonatifs peuvent se combiner de multiples façons selon les types de phrases et on peut toujours leur ajouter des patrons expressifs. On peut même inverser, par expressivité, les patrons attendus pour créer des sens nouveaux.

5. ÉNONCÉ DÉCLARATIF

L'énoncé *déclaratif* combine les patrons de base précédents selon la syntaxe : proposition indépendante, principale + subordonnée ou inversement. Il n'est ni une question, ni un ordre, on le dit *non marqué*, c'est pourquoi sa forme peut être dépourvue de relief mélodique. Vous pouvez le prononcer avec une mélodie toute plate, au niveau 2. Mais, dans une conversation spontanée normale, ce type d'énoncé a la forme générale suivante : *montée + descente*. Il commence au niveau 2, monte au 3 ou 4 et redescend au niveau 1. C'est un peu comme si la première partie de l'énoncé était une continuité en suspens, posant une sorte de question à laquelle la seconde partie répond. Ainsi, si l'on inverse les termes de la phrase suivante « À partir de demain, je vais maigrir », en « Je vais maigrir à partir de demain », on ne change rien au schéma général de l'intonation :

À partir de demain, je vais maigrir. Je vais maigrir, à partir de demain.

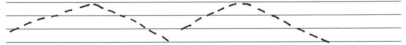

Voici d'autres exemples montrant des variations d'intonation déclarative :

À dix heures, il y aura un feu d'artifice.

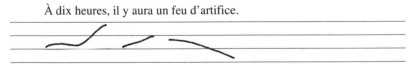

Il n'y aura pas de défilé de carnaval, cette année.

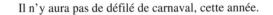

C'est bien elle… Marie. Oui. Lui, il n'est jamais là.

Vous voyez que l'intonation suit des patrons de continuité et de finalité bien caractéristiques. Les syllabes inaccentuées sont souvent plus ou moins plates (dans un discours non expressif) et la montée ou la descente la plus importante se fait sur la syllabe accentuée.

6. L'INCISE ET L'APPOSITION

– *L'incise* est une sorte de parenthèse qu'on insère dans une phrase, pour préciser ou expliquer. Elle se situe toujours sur une ligne mélodique basse et sa forme est plate. Mais elle peut remonter assez haut en finale :

La nuit, souvent, je rêve.   Elle est, en général, très calme.

– *L'apposition*, qui ressemble à l'incise, apporte un commentaire, elle se situe, comme l'incise, sur une ligne mélodique souvent plate mais au niveau de la finale commentée, basse, comme *Innocent*, dans la première phrase, ci-dessous, ou de la finale haute, comme *c'est son nom*, dans la seconde phrase :

C'est son nom, Innocent.   Mais oui, Innocent, c'est son nom

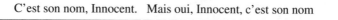

7. QUESTIONS DE FORME DÉCLARATIVE

Ces *questions totales*, auxquelles on répond par oui ou non, ont toujours un patron de mélodie montante en finale. Elles peuvent être simples ou complexes :

Tu vas en boîte ?   Tu vas en boîte, ce soir, avec ta nana ?

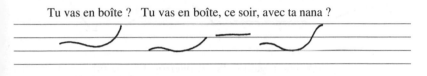

Dans le second exemple, la note mélodique la plus haute dépend de l'aspect de la question que l'on veut mettre en valeur.

8. QUESTIONS AVEC INVERSION

Comme la syntaxe marque déjà la question, la mélodie peut descendre. Mais si l'on veut une réponse, il y a une montée finale. Pour une question alternative, la finale mélodique baisse.

Sont-ils arrivés ? Viennent-ils en bus ? Voulez-vous du thé ou du café ?

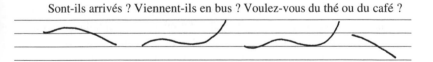

9. QUESTIONS AVEC MOTS INTERROGATIFS

C'est le mot interrogatif, *où*, *quand*, *comment*, *pourquoi...*, qui porte la note la plus haute. Le reste des patrons dépend de la hiérarchie du sens.

Mais comme la question est déjà marquée grammaticalement, ici encore, on n'est pas obligé de monter à la fin. On le fait pour attirer une réponse, pour insister ou pour marquer l'étonnement :

Où l'avez-vous vu, la première fois ? Quand est-elle venue ? Quand ?

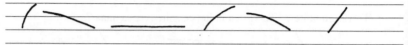

Si on a un groupe interrogatif (adjectif interrogatif + nom), la note la plus haute est à la fin de ce groupe. Si la phrase est complexe, la suite des patrons dépend de l'importance accordée à leur sens. Ici encore, on n'est pas obligé de monter à la fin du groupe. Si on le fait, c'est parce qu'on veut une réponse ou qu'on veut insister sur la question. On dit alors que l'intonation est redondante par rapport à la grammaire :

Quel âge a-t-il ? Quel âge ?? Quel âge avait-elle quand vous l'avez connue ?

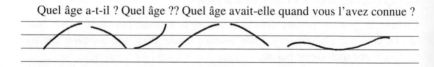

Les locutions interrogatives, comme *est-ce que*, *qu'est-ce que*, portent la note la plus haute du patron interrogatif. Ici encore, puisque la question est déjà marquée par la syntaxe, l'intonation peut avoir un patron déclaratif et descendre à la fin. On remonte en finale seulement si on veut insister :

Est-ce que vous partez déjà ? Est-ce que vous partez déjà ??

10. ORDRE

Le patron intonatif de l'ordre est descendant du niveau 4 au niveau 1, si l'ordre n'est pas déjà marqué par la grammaire. Si la syntaxe est impérative, le même patron descendant est redondant. Il souligne l'ordre. Mais la mélodie peut aussi bien être neutre et prendre la forme du patron de l'énonciation déclarative.

Tu descends ! Viens ici.   Prends ton sac   et cours à l'épicerie.

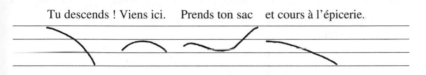

11. L'INTONATION DE L'EXCLAMATION

L'intonation de l'exclamation a une forme en cloche. Le plus souvent elle passe à un cinquième niveau. Elle peut s'ajouter à la question comme à l'ordre et prend une connotation de surprise si sa pente est assez abrupte. En voici plusieurs variantes :

C'est idiot ! C'est elle qui a gagné ! Il a tout dépensé ! Vous êtes fou ! ?

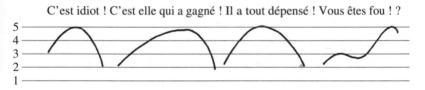

12. INTONATION ET DISCOURS

Vous pouvez constater que l'intonation peut prendre bien des formes différentes selon les types de discours. La courbe mélodique devient ample, les différences de hauteurs augmentent dans un discours oratoire, comme le sermon ou la déclamation classique. Il y a aussi des formes figées comme celle de la prière ou de la récitation des enfants. On entend tout de suite, même au téléphone, rien que par le rythme et l'intonation, si la radio ou la télévision est en train de diffuser une pièce de théâtre, un bulletin d'information ou un discours politique.

C'est que l'intonation ne nous donne pas seulement des informations linguistiques mais aussi sur la personne qui parle, son humeur, ses émotions, etc. L'expressivité bouleverse à chaque instant les patrons intonatifs. L'intonation de l'*ordre* 4-2, peut être inversée en 2-4, si on ajoute un ton de menace ou d'agacement. L'impérativité peut aussi se manifester par une articulation plus tendue, une intensité plus forte, des écarts mélodiques plus importants, comme dans l'exemple suivant, où il y a eu aussi raccourcissement des voyelles accentuées :

Donnez-lui donc du thé et du lait !

Tous les paramètres prosodiques, hauteur, durée, intensité et d'autres, paralinguistiques, comme la tension articulatoire, jouent un rôle de plus en plus important à mesure qu'on ajoute de l'expressivité au message linguistique. La phrase déclarative suivante, extraite d'un texte lu par son auteur, n'en est qu'un exemple simple :

Lorsque le gros chat noir du village est mort, Jean a pleuré.

On voit que toute la première partie de la phrase présente un schéma mélodique différent du modèle attendu, à cause de l'accent d'insistance sur *gros*.

Si vous entendez une énumération, chaque finale est probablement montante mais elle peut aussi être descendante et vous l'interpréterez alors comme un ton de lassitude ou une attitude désabusée de la part de votre interlocuteur.

Il existe de nombreux patrons d'intonation expressives, bien codés, comme ceux des attitudes : surprise, coquetterie, moquerie, doute, etc. D'autres patrons, ceux des émotions simples, comme la joie, la colère, la tristesse, sont également assez faciles à reconnaître (Voir *Précis de phonostylistique*). Mais lorsque plusieurs émotions se mêlent, l'accord sur leur interprétation devient difficile.

Exercices (réponses p. 118)

1. Quelles sont, parmi les phrases suivantes, celles pour lesquelles l'intonation jouera un rôle phonologique distinctif ?

   a) *Ils partent à la chasse.* b) *À la chasse au papillon ?* c) *Attendez moi.* d) *Vous restez ici !* (ordre). e) *Elles sont à la plage ?* f) *Pourquoi cette peur bleue ?* g) *Vous n'avez pas honte ? !* h) *Ils ont payé.* i) *Vous faites quoi ?* j) *Tu ne dis rien !* (ordre).

2. Indiquez où se fait la division en deux grandes parties intonatives des phrases déclaratives suivantes (dont on a supprimé la ponctuation) :

   a) *À Baruch il y avait une sorcière blonde.* b) *Elle laissait mourir tous les hommes à la ronde.* c) *Le soir les cœurs battent plus fort.* d) *Les cœurs battent plus fort le soir.* e) *Un soir je m'étais égaré sur les bords du Niagara.*

3. Indiquez le type de patron intonatif représenté par les courbes suivantes :

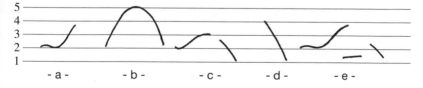

4. Indiquez le schéma intonatif qui vous paraît le plus probable pour la phrase suivante :

   Je suis allé au marché et j'ai acheté des oiseaux pour toi, mon amour (Jacques Prévert).

5. Donnez une seconde interprétation intonative possible.

6. Dites quel est le sommet mélodique de chacune des phrases suivantes :
a) sans insistance sur la question b) avec insistance (vous attendez vraiment une réponse) :

Quelle heure est-il ? Combien en voulez-vous ? Où allez-vous ? Est-ce que vous avez vu ça ? Avez-vous eu peur ?

7. Transcrivez la phrase suivante et faites-en le schéma mélodique :
Tu descends ou je vais te chercher (menace).

8. Même exercice avec :
Quel acrobate ! ce type. Regardez-le.

9. Quelle différence de sens y a-t-il entre les deux intonations suivantes ?

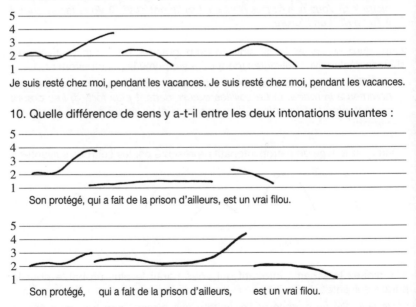

Je suis resté chez moi, pendant les vacances. Je suis resté chez moi, pendant les vacances.

10. Quelle différence de sens y a-t-il entre les deux intonations suivantes :

Son protégé, qui a fait de la prison d'ailleurs, est un vrai filou.

Son protégé, qui a fait de la prison d'ailleurs, est un vrai filou.

LES DIFFÉRENTS TYPES DE VARIATION

1. VARIATION LIBRE ET VARIATION CONDITIONNÉE

La nature des phones ne dépend pas de notre volonté. Un [k] est plus court qu'un [l] et certaines voyelles sont longues par nature, d'autres allongées ou raccourcies par les consonnes qui les suivent. De même, vous avez vu (pp. 59-62) qu'il existe une variation conditionnée par le contexte phonétique. Elle provoque divers types d'assimilations automatiques, dont nous ne sommes pas conscients.

Mais, à côté des variations involontaires, il en existe d'autres, que l'on appelle *libres*, parce qu'elles sont volontaires, même si elles ne sont pas toujours conscientes. Elles font partie des *signaux*, par rapport aux *indices*.

2. INDICES ET SIGNAUX

On a déjà noté que la langue parlée n'est pas un modèle figé. Elle varie selon les individus, les régions, les circonstances de la communication. On distingue deux grands types de variations, selon qu'elles sont faites d'*indices* ou de *signaux*.

Indices

Lorsque vous entendez quelqu'un parler, vous pouvez généralement dire d'où il vient, s'il a un accent par rapport au vôtre ou à celui d'une autre personne. Vous êtes aussi capable, même sans voir qui parle, de reconnaître s'il s'agit d'une femme ou d'un homme, d'un adulte ou d'un enfant, éventuellement de détecter son état de santé et son humeur : colère, peur, joie ou peine. Notre façon de parler comporte ainsi des *indices* phoniques, comparables aux symptômes qui permettent au médecin de dire à quel type de maladie il a affaire.

Signaux

Lorsque vous repérez immédiatement si votre interlocuteur veut vous faire passer un message exceptionnel, comme l'insistance, la réticence, le doute, la moquerie, l'ironie, la surprise, le charme, il s'agit alors d'un *signal*.

Dans le cas des indices, on a des marques *involontaires*. On n'en est pas conscient, la plupart du temps. Le vieillard ne se rend pas compte que sa voix est chevrotante et le paysan auvergnat ne prendra conscience qu'il dit *ch'est cha* qu'en entendant quelqu'un d'autre prononcer *c'est ça*. Par contre, dans le cas du signal, si on peut être inconscient d'un ton ironique ou dubitatif, le fait de prendre ce ton est *volontaire*, comme n'importe quel signal.

3. VARIATION INDIVIDUELLE

La variation individuelle peut être pathologique. Elle est par exemple, dans le cas d'un nasonnement important, l'indice d'une division palatine (le palais est fendu et laisse passer l'air entre la cavité buccale et nasale). La variation peut provenir de troubles neuro-pathologiques, comme le bégaiement, ou psychologiques, comme le zézaiement.

Mais, le plus souvent, elle fait partie des indices qui permettent de reconnaître des particularités physiologiques normales.

– *Le sexe.* Les femmes ont une voix plus haute que celle des hommes, en moyenne d'une octave. Le timbre de la voix des femmes a une résonance plus antérieure que celle des hommes. Un homme à voix exagérément grave est peut-être en train de jouer le « macho » et une femme faisant l'inverse en train de jouer la « super féminine ».

– *L'âge.* Les jeunes enfants ont, jusqu'à la puberté, une voix plus haute que celle des adultes. Le vieillissement a tendance à rapprocher les voix féminines et masculines. Les vieillards perdent parfois le contrôle de leur voix.

4. VARIATION RÉGIONALE

La carte ci-dessous vous montre les limites des anciennes langues ou dialectes de la France. Avant la guerre de 1939-1945, il y avait encore des régions où les gens ne parlaient français qu'à l'école. Vous vous imaginez bien alors que chaque parler a laissé jusqu'à maintenant des traces d'accent régional. Vous pouvez en trouver de nombreux exemples analysés dans l'ouvrage de Fernand Carton et autres, intitulé *Les Accents des Français*.

Figure 11. Carte des divisions linguistiques de la France
(d'après Carton *et al.*, 1983, 12)

On a toujours un accent pour quelqu'un d'un autre groupe linguistique. Par rapport au modèle du français standard, commun, général, les accents régionaux sont plus marqués chez *les ruraux, les défavorisés, les sédentaires, les gens âgés*. C'est-à-dire qu'un *citadin, favorisé, mobile, jeune*, a plus de chance d'avoir un accent passe-partout.

Vous pouvez constater que la plupart des gens ne distinguent pas très bien les accents régionaux sauf s'ils sont très marqués. La seule perception générale est celle des accents du Midi, opposés aux accents du Nord de la France. Chacun d'eux comporte de nombreuses variétés. On ne verra ici que les caractéristiques les plus frappantes, communes à toutes les variétés de l'accent du Midi.

5. L'ACCENT DU MIDI PAR RAPPORT À CELUI DU NORD

Les principales caractéristiques, très générales, de cet « accent du Midi » de la France sont :

1) une généralisation de la règle de la distribution complémentaire (voir p. 33) : En syllabe ouverte, les voyelles se ferment. Le Midi prononce *j'ai* et *j'aie* de la même manière, avec E fermé. En syllabe fermée, les voyelles s'ouvrent. Le Midi prononce de la même manière : *sotte* et *saute*, avec un O ouvert ;

2) le maintien généralisé du E caduc. Le Français du Nord dira : *Je n'te l'red'mand' pas* alors que le Français du Midi prononcera : *Je ne te le redemande pas*. Dans le premier cas, on aura prononcé 5 syllabes et 9 dans le second. Les méridionaux font également beaucoup plus de liaisons que les autres francophones ;

3) aux voyelles nasales du Français du Nord, le Midi substitue la voyelle orale correspondante, suivie de la consonne nasale indiquée par la graphie. On aura ainsi : *santé* [sante], *bambou* [bambu]. Mais en finale, l'appendice nasal devient [ŋ] comme dans les terminaisons -*ing*, empruntées à l'anglais : *blanc* devient [blaŋ], *faim* [fɛŋ] ;

4) au plan du rythme, alors que le français standardisé du Nord est une suite de syllabes inaccentuées brèves, suivies d'une syllabe accentuée longue, le

français du Midi reste une suite de syllabes relativement courtes, avec un effet de staccato, comme si chaque syllabe était nettement détachée ;

5) l'intonation du français méridional est à la fois plus plate, dans l'ensemble de la courbe mélodique, et plus modulée. Une modulation très particulière au français du Midi est marquée à la finale, lorsqu'elle comporte un E caduc prononcé, comme dans :

Elle l'aime, cette petite   *Je la regarde*

6. L'ACCENT FRANCO-QUÉBÉCO-CANADIEN

Parmi les divers types de français celui du Québec et des autres provinces francophones du Canada ressemble à ceux de l'ouest de la France, dont il est issu en grande partie.

Il y a des traits généraux, que l'on retrouve presque toujours dans toutes les couches de la société, d'autres sont régionaux ou sociaux. Ceux-là correspondent à des accents connotés comme ruraux ou populaires.

Traits généraux

a) *Ouverture de* [i] [y] [u]. Les 3 voyelles [i] [y] [u] ont un second timbre, ouvert, en syllabe fermée (sauf par R). Dans *vite*, le [i] est proche de [e], dans *lune*, le [y] est proche de [œ] et dans *route*, le [u] est proche de [o].

b) *Affrication.* Devant [i], [y] et les semi-consonnes correspondantes, yod et ué, les consonnes [t] et [d] deviennent [ts] et [dz]. On dit qu'elles sont « affriquées ». Ainsi *maudit* devient [modzi] et *dis-tu que c'est dur* [dzitsyksɛdzy:r].

c) Les voyelles nasales en position inaccentuée ont tendance à se dénasaliser : *inviter*, prononcé comme *éviter*.

Traits régionaux

a) Le [r] apical, roulé. (Il a longtemps été un signe aristocratique.)

b) *Fermeture et antériorisation des voyelles nasales.* Les voyelles nasales sont plus fermées et plus antériorisées que dans le français standard. À l'oreille d'un Français, « Vlà l'bon vent » ressemble à « Vlà l'ban vin ».

c) *Retard de nasalisation*. Les voyelles nasales sont nasalisées avec un certain retard, ce qui fait qu'un mot comme *lampe* est prononcé [laɑ̃p].

d) *Spirantisation de CH et J, qui deviennent H*. En Acadie et en Beauce québécoise, on entend, comme en Charentes et dans le Poitou en France, que CH et J sont devenus des H aspirés. *J'ai une chemise* est prononcé [ʜeynhmiz]. [ʜ] est un souffle voisé et [h] un souffle non voisé.

Traits ruraux ou populaires

a) *La diphtongaison*. Les voyelles longues, en syllabe fermées, sont diphtonguées. C'est-à-dire qu'on prononce deux voyelles au lieu d'une dans la même syllabe, comme dans : *père, fleur, mort, rose, gaz, quarante*, etc. Le mot *père* sera ainsi prononcé [paɛr], [paeer] ou [paɪr].

b) *Les deux A*. Les A des mots en OI sont prononcé [e]. On dit *moi et toi* [mwe e twe]. Le A postérieur, surtout dans les monosyllabes est long et passe à [ɔ], comme dans *Il est pas là* [ilepɔ:lɔ:].

c) *Effacement de [l] et de [r]*. Le [l] tombe souvent entre deux voyelles, comme *dans la rue*, prononcé [dɑ̃ary] ou [dɑ̃:ry]. De même, le [r] final tombe souvent, comme dans *père* [pae].

d) *Effacement de [i] [y] [u] inaccentués*, dans le voisinage d'une consonne non voisée : *ciment* [smɑ̃], *député* [deptse], *boudin* [bdɛ̃], *Chicoutimi* [ʃktmi].

Les traits généraux sont ceux qui restent souvent dans la prononciation standardisée. Ils passent inaperçus des non spécialistes. Les traits régionaux sont bien acceptés partout. Ceux du dernier groupe correspondent à l'accent rural des vieux paysans normands en France. Au Canada, ils sont perçus comme plutôt archaïques ou populaires.

Le français du Canada francophone aussi bien que du Québec fait les mêmes économies linguistiques que le français de France, dans le parler spontané de la conversation familière. On dit des deux côtés : une tab'de nuit, quat'liv' de pain, t'as vu, y a pas d'problème, etc.

7. VARIATION PHONOSTYLISTIQUE

De manière générale, la variation phonostylistique est la perception d'informations non linguistiques apportées par la manière de prononcer.

« Bonjour » a un sens précis mais selon le ton sur lequel le mot est prononcé, il peut s'y ajouter une multitude de significations sur les émotions, les attitudes, la classe sociale, etc. On peut même faire dire aux mots le contraire du sens linguistique que leur donne le dictionnaire. Vous pouvez très bien dire « Je t'aime » avec le ton de la haine.

La variation émotive

Il peut s'agir ici d'indices, donc de réactions involontaires, comme lorsque vous êtes en colère ou triste, ou joyeux spontanément. Ou bien vous faites semblant d'avoir ces mêmes réactions et si vous êtes un bon acteur on pourra croire que les émotions que vous exprimez sont vraies.

La colère se manifeste par une intensité accrue de la voix, des sautes d'accents, une ligne mélodique brisée et des contractions de la glotte. On dit que la voix « s'étrangle ». Les psychanalystes, eux, prétendent qu'il s'agit d'un geste articulatoire symbolique : l'étranglement de son adversaire.

La tristesse est essentiellement un ralentissement du tempo et une suppression de la modulation intonative. La courbe mélodique devient toute plate.

La joie se manifeste par des notes hautes, un mouvement vif et irrégulier, avec souvent une accélération du tempo et un timbre vocal plus clair.

Il y a de nombreuses émotions, souvent mélangées. On peut avoir une colère agressive ou contenue, mélangée de surprise, de moquerie, etc.

La variation d'attitude

Cette fois, vous contrôlez un signal qui est toujours volontaire, comme le doute, la coquetterie. Ces manifestations-là s'expriment surtout par la prosodie (rythme et intonation) et sont très stylisées donc bien reconnues, alors que les émotions ne sont pas toujours bien codées donc bien interprétées. Il y a un type d'attitude coquette, par exemple, qui s'exprime par une montée mélodique brusque en finale d'énoncé, comme dans : « Je reste là, moi », où le mot *moi* a été prononcé avec une saute importante de hauteur, par rapport aux syllabes précédentes.

La variation situationnelle

C'est un autre aspect de la variation d'attitude. Elle est très fréquente chez tous les gens dont la parole fait partie de la profession publique. Le prêtre qui monte en chaire, le professeur qui arrive en classe, le commerçant qui parle à une cliente, presque tous changent de voix quand ils entrent en fonction.

Il s'agit parfois de véritables métaphores vocales, comme celle de l'emploi de la voix de charme amoureux, faite de souffle ajouté, de tempo ralenti, d'intonation descendant lentement, que l'on utilise pour une publicité d'un savon voluptueux ou pour inciter les passagers à se rendre à la porte d'embarquement de leur avion.

Mais les cas les plus fréquents de variation situationnelle concernent l'utilisation des E caducs, de la liaison et d'un certain nombre de chutes de voyelles et de consonnes. On rencontre également ces cas-là dans la variation sociale.

8. VARIATION SOCIALE

Il y a des groupes sociaux très caractérisés par leur prononciation, généralement aux deux extrêmes, *favorisés/ défavorisés*. Un exemple des premiers serait l'accent de certains *snobs* du quinzième ou seizième arrondissement de Paris. L'actrice Sylvie Joly l'illustre très bien dans ses sketches. Cet accent est fait de contrastes. L'articulation est parfois insistante, parfois très légère, les consonnes pouvant même disparaître. *Madame* prononcé : [maa:m]. Le tempo s'accélère et se ralentit exagérément tour à tour. L'intonation monte très haut et redescend aussitôt très bas. L'autre extrême pourrait être l'accent *populaire* des banlieues de Paris, comme celui que prenait le comédien Coluche. Toute l'articulation perd sa tension et recule vers l'arrière des cavités buccales. Les consonnes s'affaiblissent. Le R est très « grasseyé », c'est-à-dire avec le dos de langue rapproché du voile du palais, sans vibrations. L'articulation du [k] est palatalisée, c'est-dire que cette consonne est suivie d'un yod. *Café* devient [kjafe]. Le faubourien déplace aussi l'accent de la dernière à l'avant-dernière syllabe, qui devient très longue, comme dans : 'Marie va 'passer par 'Paris.

Il y a aussi des phénomènes de *mode*. Alors que les comédiens du théâtre classique sont encore entraînés à une articulation nette et claire, dans les films modernes, c'est plutôt avant-garde de ne pas ouvrir la bouche. De même, la syllabe accentuée des groupes rythmiques de finalité est le plus souvent inaudible. L'expressivité, qui tend à mettre en relief les débuts de mots ou de groupes rythmiques, contribue ainsi à déplacer l'accent en français contemporain. La télévision nous en donne aussi de nombreux exemples. Certains présentateurs des nouvelles hachent leurs énoncés, sans tenir compte du sens, en mettant un accent d'insistance, sous forme d'intensité ou de coup de glotte, au début des mots, comme : *On est* \ *sans nouvelles de* \ *l'équipage* \ *depuis* \ɔ *une* \ *semaine*. Néanmoins, ce sont les médias qui uniformisent la prononciation.

9. VALEUR SOCIALE DE QUELQUES VARIABLES

Parmi les principaux facteurs mentionnés que l'on va examiner maintenant, vous verrez que tous n'ont pas la même valeur sociale. Prononcer une liaison interdite, comme « des Z Hollandais » pourra paraître un manque d'éducation, prononcer une liaison rare sera senti snob, comme « des bois Z immenses ». Dire « quat'pomme » est banal dans la conversation ordinaire mais populaire dans un discours public. De même [ta] pour *tu as*, etc.

– *E caduc*. On suit, dans la conversation, les règles orthoépiques (p. 33). Prononcer tous les E caduc est un indice régional du Midi ou le signal d'un ton de lecture pédant. Mais dans la diction poétique classique, la prononciation des E caducs a une connotation musicale esthétique.

– *Liaison*. Là encore, on suit les règles orthoépiques. Le ton plus ou moins familier vient de l'emploi plus ou moins fréquent des liaisons facultatives. Peu de liaisons peut connoter la simplicité, beaucoup de liaisons connote la recherche. La liaison possible avec le R final, comme « Aller-R-ensemble » est perçue comme snob par le Français moyen mais elle commence à moins choquer à force d'être pratiquée par les annonceurs de la télévision.

– *Chute du R*. Le R français tombe souvent dans les groupes *consonne + R + consonne*, comme dans « un maît(R) d'école ». Personne ne s'en offusque dans la conversation *familière*, même en public. Bernard Pivot le fait souvent dans ses émissions. Mais la chute du R choque dans les groupes consonne + R + voyelle ou en finale, comme dans : « un maît'en colère » ou « c'est un bon maît' ». De même, « une tab' de nuit » est normal mais, en finale, « une tab' », surtout si le [b] final est prononcé nettement, va paraître populaire.

– *Chute du ne*. La chute du *ne* de négation est courante dans la conversation familière, même en public, comme dans : « Ils ont pas compris ». Mais elle surprendrait dans un discours un peu solennel.

– *Chute du [l] des pronoms il et elle*. Dans la conversation familière, même publique, il tombe presque toujours devant consonne, comme dans : « I'pleut beaucoup », « è viendra » (Elle…).

– *Autres chutes*. On a déjà remarqué (p. 58) que dans la conversation familière, même en public, on entend : « m'alors » pour *mais alors*, « m'enfin » pour *mais enfin*, « c't'à dire » pour *c'est-à-dire*, « qu'a » pour *qui a*, « T'as » pour *tu as*, etc. Or ces chutes ne sont perçues et stigmatisées que si on prend un ton oratoire. La situation de communication compte donc beaucoup dans l'appréciation sociale des variations de la prononciation.

– *Mouillure* (palatalisation, p. 62). S'il est très marqué, ce phénomène est perçu comme rural ou populaire. Par exemple : *Qu'est-ce qu'il dit*, prononcé [kjɛskjidi].

Exercices (réponses p. 119)

1. Indiquez s'il s'agit d'une variation libre ou conditionnée :
   a) Le *d* de *médecin* prononcé [t]. b) Le *f* de *formidable* allongé. c) Le *k* de *qui* palatalisé. d) Le mot *superbe* prononcé [sy#pɛʀb]. e) Le mot *allo* prononcé avec du souffle dans la voix.

2. Dites s'il s'agit d'un indice ou d'un signal :
   a) L'odeur des frites dans un restaurant. b) Un parfum sur un manteau de fourrure. c) Un zézaiement constant. d) Un zézaiement occasionnel. e) L'accent alsacien. f) La voix petite fille d'une star. g) L'imitation de De Gaulle. h) La voix d'un curé en chaire. i) La voix de quelqu'un qui est enrhumé. j) La voix de quelqu'un qui chante.

3. Dans quelle aire linguistique se trouvent les villes suivantes :
   a) Caen. b) Marseille. c) Lille. d) Nancy. e) Poitiers. f) Clermont-Ferrand.
   g) Bordeaux. h) Besançon. i) Reims. j) Montpellier.

4. Transcrivez les phrases suivantes en français du Nord puis en français
méridional standard (tel qu'on l'a stéréotypé) :
   a) *Il faut que j'aie fini à sept heures.* b) *Ôte les autres choses.* c) *Je ne
   crois pas qu'elle soit très contente.* d) *Les pompiers ont été très rapides.*
   e) *Il faut avoir du respect pour les autres.*

5. Transcrivez les énoncés suivants selon un style oral familier :
   a) *Il faut partir.* b) *Je ne sais pas où il est.* c) *Ils sont quatre ou cinq.* d) *Il
   n'y a pas de problème.* e) *Il ne faut pas s'en faire.* f) *C'est une table de
   nuit.* g) *Il n'y a qu'à en mettre un mètre.* h) *C'est celui qui a eu peur.* i) *Elle
   revient tout de suite.* j) *Mais alors, c'est-à-dire que vous n'êtes pas
   d'accord.*

6. Les schémas mélodiques suivants signalent : la colère, la joie, l'exclamation, la surprise interrogative, la tristesse. Essayez de les identifier.

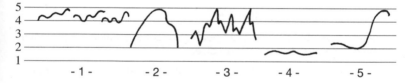

7. Quels sont les traits de prononciation québécoise que l'on pourrait trouver dans les mots suivants :
   a) *pente,* b) *fleur,* c) *défaire,* d) *vite,* e) *blanc,* f) *flûte,* g) *rire,* h) *dans la
   cour, là.* i) *Toi, tu as des idées,* j) *paradis.*

8. Quels sont les traits phonétiques, articulatoires et prosodiques, du français faubourien de Paris ?

RÉPONSES AUX QUESTIONS

Les réponses données ci-dessous, ne sont que des suggestions lorsqu'elles portent sur des problèmes généraux. Elles pourront donner lieu à discussion. Ceux qui voudront s'autoévaluer pourront attribuer des points à chacune des questions. À vous de jouer !

Chapitre 1 (p. 16)

1. I/Y : lit, lys ; A : part, bas ; AI : aient, rais ; AN/EN : gens, paon, Caen ; IN/AIM : vin, fin main ; É/ET/EZ : dé, thé, et, nez ; E : sert, gel ; EU : feu, bœuf, cœur, œil ; UN : brun ; O : beau, bol, faux ; OI : voir ; OUI : oui ; IEN : bien.

2. /e/ et ; /a/ à, ah, a ; /ʀe/ ré ; /le/ les ; /ʀa/ rat, ras, raz ; /aʀ/ are, arrhes ; /la/ la, là, las ; /al/ halle ; /aʀa/ à ras, haras ; /ala/ alla, à la ; /ele/ ailé, et les, héler ; /ʀale/ râler ; /leʀa/ les rats, les raz ; /aʀl/ Arles ; /laʀ/ l'art, lard, l'are ; /ʀal/ râle.

3. a) = N, b) = O, c) = O, d) = N, e) = N.

4. agneau ; espagnol ; parking ; chapeau ; échapper ; jamais ; âgé ; acheter ; je ne chante pas ; le paon est un oiseau.

5. [fil] [bɛt] [te] [pɑl] [atak] [ɔʀ] [fo] [su] [ly] [blø] [œʀ] [ne] [pʀɑ̃] [vɛ̃] lɑ̃] [ʀõ] [vjɛ̃] [wɛst] [sɥi] [*lwi].

6. [ʒevy *ʒɑ̃e*ʃɑtal] [õna gaɲe olɔto] [*ʒanin paʀɑ̃ɛspaɲ] [iljadezwazo syrləpaʀkiŋ] [*lwi pʀɑde tʀɥit] [wisɛmwa] [ʒvuswɛt œ̃bõnɔɛl] [ʒəkrwa kə*lwiz vaa*kɑ̃] [kɑ̃kõtevupaʀtiʀ].

7. [été] [ivèr] [lapát] [èlèsòt] [sótsyrlatabl] [sœlasõsu] [ilèsœl dɑ̃ljardẽ] [èljõglavèk*cɑ̃tal] [wilwiètavèklẅi] [ilyadezaɲo dã la mtaɲ].

8. [ẹtẹ] [ivẹr] [lapât] [ẹlẹsọt] [sọtsürlatabl] [sœla sõsu] [ilẹsœl dɑ̃lžardẽ] [ẹlžõglavẹk*šɑtal] [wilwiẹtavẹklẅi] [iljadezaño dã la mõtañ].

9. L'alphabet des Atlas a l'avantage d'utiliser des signes de la graphie habituelle. L'alphabet des romanistes en utilise aussi un certain nombre et permet plus de précision sur les timbres. Il distingue, par exemple, entre deux types de [i], de [e], de [ɛ], etc.

L'inconvénient de ces alphabets est qu'ils emploient beaucoup de signes diacritiques qui introduisent des confusions et que les précisions qu'ils apportent sont souvent des raffinements sans grande utilité. L'API est plus simple et plus fonctionnel.

Chapitre 2 (p. 26)

1. 1) orale, antérieure, arrondie, très fermée ; 2) orale, antérieure, écartée, ouverte ; 3) orale, postérieure, arrondie, ouverte ; 4) orale, postérieure, arrondie, très fermée ; 5) orale, antérieure, arrondie, fermée.

2. Le voile du palais s'abaisse et l'air passe par les fosses nasales en même temps que par les cavités buccales.

3. a) [ɛ] ; b) [e] ; c) [o] ; d) [oe] ; e) [ɛ̃].

4. Schéma articulatoire des 3 voyelles [i] [a] [u] :

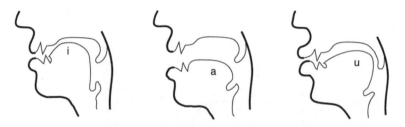

5. [b] occlusive, orale, voisée, bi-labiale ; [d] occlusive, orale, voisée, apico-dentale ; [k] occlusive, orale, non voisée, dorso-vélaire ; [n] occlusive, nasale, voisée, apico-dentale ; [ʀ] constrictive, orale, voisée, dorso-uvulaire ; [f] constrictive, orale, non-voisée, labio-dentale ; [z] constrictive, orale, voisée, pré-dorso-alvéolaire ; [m] occlusive, nasale, voisée, bi-labiale ; [ʒ] constrictive, orale, voisée, pré-dorso-pré-palatale ; [r] constrictive, orale, voisée, apico-alvéolaire.

6. Le mode d'expulsion de l'air, sur les côtés de la langue, alors qu'il est médial pour tous les autres phones.

7. [k] et [g] ont le même point d'articulation. Nasalisés, ils deviennent [ŋ]. Et [p] nasalisé devient [m].

8. a) [f] ; b) [s] ; c) [ʀ] ; d) [t] ; e) [m].

9. a) [ŋ] ; b) [p/b] ; c) [m] ; d) [t/d] ; e) [k/g] ; f) [n] ; g) [ɲ].

10. a) [r] ; b) [s/z] ; c) [ʃ/ʒ] ; d) [l] ; e) [ʀ] ; f) [f/v].

11. Modes : sonore, orale, fricative (= constrictive), nasale, latérale, sourde, voisée. Lieux : bi-labiale, antérieure.

12. (figure 8)

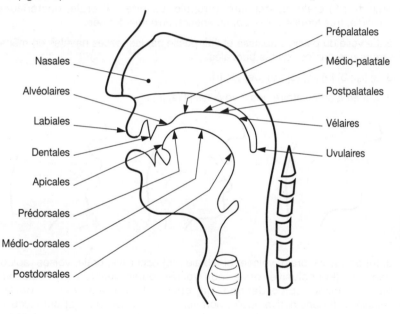

Nasales
Alvéolaires
Labiales
Dentales
Apicales
Prédorsales
Médio-dorsales
Postdorsales

Prépalatales
Médio-palatale
Postpalatales
Vélaires
Uvulaires

Chapitre 3 (p. 35)

1. `Oui de`main A`lice reste`ra i`ci avec Jean-`Claude néan`moins réfléchi` ssez longue`ment.

2. `Oui demain`soir A`lice restera`là avec `Jean Néan`moins je ne sais `pas si ma `mère veut ve`nir avec`eux.

3. nu-mé-ro-ter i-ni-mi-table sec-teur res-pon-sable por-tique scep-ti-cisme.

4. [wi dmɛ̃swa:ʀ *alis ʀɛstəʀa avɛk*ʒɑ̃] [neɑ̃mwɛ̃ ʒənsepa simamɛ:ʀ vøvni.ʀ avɛkø].

5. 1) [o] [ɔʀ] [blø] [dø] [flœ:ʀ] [de] [sɛk] [ʃo] [ne] [ʒœn].

6. Il 'faut souli\gner le'rôle impor\tant qu'ont \joué les caba\rets dans la diffu\sion de la chan'son fran\çaise. Les plus cé\lèbres ont é\té ceux de la 'rive \gauche, comme La 'Rose \Rouge, L'É\cluse...

7. [ʀo:l] [fʀɑ̃sɛ:z] [ʀi.vgo:ʃ] [la*ʀo. zʀu:ʒ] [*lekly:z].

8. [*ʀo:z aynblu.zbɛ:ʒ] [leflœ.ʀblø sõdɑ̃lvɑ.znwa:ʀ] [o.ttavɛst e mɛtwa alɛ:z] [lafo:t laplygʀa:v səʀɛ diɲɔʀe lezɑ̃:ʒ].

9. Une fermeture brusque des cordes vocales.

10. Au contraire du coup de glotte, le [h] est une expiration d'air à glotte ouverte.

Chapitre 4 (p. 41)

1. Ils sont inaccentués. Ils n'ont pas d'accent orthographique. Ils sont en syllabe ouverte. Dans dessus, les deux S sont là pour garder la prononciation [s]. De est un ancien préfixe.

2. Il s'agit d'E devant deux consonnes. Dans erreur, le E est ouvert, à cause des deux R. Dans les deux autres mots, le E est fermé.

3. Les deux E sont ouverts parce qu'accentués, en syllabe fermée.

4. [laptitfɛʀm] [ynpətitfɛʀm] : dans le premier cas, le E caduc de petite n'est précédé que d'une seule consonne prononcée, il tombe. De même, dans le second cas, le E de une, mais alors le E de petite est maintenant précédé des deux consonnes prononcées à la suite. On le prononce donc. On peut faire le même raisonnement pour les groupes rythmiques suivants : [sɛtbɛldəmœ:ʀ] [sɛtsəmɛn] [vulvule]. Dans je vois, on supprime généralement le E initial mais dans la séquence je ne, on garde généralement le premier et on supprime le second [ʒvwa] [ʒənwapa]. Dans Prenez-le, le premier E est prononcé parce que précédé de deux consonnes prononcées et le E final du pronom est toujours prononcé, sinon le mot ne serait pas intelligible.

5. [magʀɑ̃dami esõgʀɑ̃tami sõdøzɛtʀ.əʃaʀmɑ̃] [ʃezø lezɛ̃vite sõtalɛ:z].

6. Parce qu'il s'agit de deux groupes différents. L'accent sur la syllabe finale de retrouvés empêche la liaison.

7. [lezœ.ʀpasvit avɛkdezipopɔtam di.zleɔlɑ̃dɛ].

8. On se heurte au problème de la liaison avec les mots commençant par H. On ne fait pas de liaison avec les mots commençant par H dit *aspiré*, qui sont en général des mots d'emprunts postérieurs à ceux venus du latin et du grec.

9. [œ̃sɛʀtɛnaspɛdymwajɛnɑːʒ mɛtapaʀysudɛ̃].

10. Des(O)hommes, trois(O)apôtres, vingt(O)archanges, quatre-vingts(O) anges et(l)un(O) elfe, quelques(l)Hongrois(l)aussi, s'en vont(F)à la guerre, mais(F)on sait(F)encore que le bruit(l)infernal des(O)armes(l)écorche les(O) oreilles des dieux.

Chapitre 5 (p. 49)

1. ferai/ferais. jeûne/jeune. cotte/côte. haute/hotte. mâle/mal. mangeai/ mangeais. entrait/entrez. roc/rauque. Beauce/bosse. molle/môle.

2. jeune – jeu. hotte – haut. mangèrent - mangeai. roc – rôt.

3. [ʒemɑ̃ʒeʃezɛl jɛːʀ asɛtœːʀ] [laʒœndɑ̃søːz alɛ.ʀmalœrø] [leʒœnzɔm dɔʀm suleso:l] [ozeʃɛkosi lefu sõprɔʃdeʀwa] [dønymero nœfesɛt ʀɛstəsœlɑ̃ʒø].

4. Paires minimales avec : /te/ /to/ ; /ke/ /ko/ ; /pe/ /te/ ; /pe/ /ke/ ; /te/ /ke/ ; /ko/ /ro/ ; /kok/ /koj/ ; /lej/ /loj/ ; /kej/ /rej/ ; /tek/ /kek/.

5. Les phonèmes sont donc : /p/ /t/ /k/ /r/ /l/ /j/ /e/ /o/.

6. Les phonèmes consonantiques n'apparaissent qu'en initiale, sauf le /j/ qui n'apparaît qu'en finale. Les voyelles apparaissent en position médiale ou finale.

7. Le /e/ et le /o/ sont fermés en syllabe ouverte et ouverts en syllabe fermée, sauf avec /j/.

8. Le /j/ final ferme les voyelles.

9. La nasalité n'a pas ici de rôle phonologique. C'est une variante.

10. [vuzavedyfø] [savevu silja kɛlkəʃo.zdənœf] [dita*pɔlkilnɛːʒ] [ynko.tdəbœ-fopwaːvʀₒ patrogroːs].

Chapitre 6 (p. 55)

1. /p/ /t/ /k/.

2. /m/ /n/ /ŋ/.

3. f/v s/z ʃ/ʒ.

4. Pour /i/ la phonologie se contente de : *fermé, avant*. La phonétique précise : *très fermé, écarté*.
Pour /o/ la phonologie : *arrondi, arrière*. La phonétique précise : *fermé*.
Pour /u/ la phonologie : *arrondi, fermé, arrière*. La phonétique précise : *très fermé*.
Pour /ø/ la phonologie : *arrondi, avant*. La phonétique précise : *fermé*.
Pour /œ/ la phonologie : *arrondi, ouvert*. La phonétique précise : *antérieur*.

5. i/y : labialité ; y/u : antériorité ; a/ɑ̃ : nasalité.

6. p/b : sonorité ; b/m : nasalité.

7. La sonorité est redondante, puisque b et m sont déjà sonores.

8. Les constrictives /ʀ/ et /l/.

9. /l/ est une constrictive, apico-alvéolaire, latérale, sonore et /t/ est une occlusive, apico-dentale, médiale, sourde.

10.

	t	d	n	l	r
occlusive	+	+	+	−	−
voisée	−	+	+	+	+
nasale	−	−	+	−	−
apico-dentale	+	+	+	−	−
apico-alvéolaire	−	−	−	+	+
latérale	−	−	−	+	−

Chapitre 7 (p. 64)

1. hiatus : <u>a à a</u>ller, v<u>a entrer au</u>, pl<u>eut en</u>core (sans liaison), v<u>a au</u>, entré<u>e est</u>, <u>à u</u>ne, <u>où a</u>vez trouv<u>é Henri</u>, t<u>emps est</u>.
élisions : l'ami, <u>s'il</u>, <u>l'</u>entrée.

2. et 3. : À vous de jouer.

4. Fonctionnelles : par rapport, il courrait, vous le lisiez [vuləlizje], croyiez. Aucune des autres n'est fonctionnelle.

5. p, k, d, g, t, k, g, d, s, s.

6. [pʀənesa] [bʀizelə] [ʃpus] [ʃpʀi] [sɛtʀɛdʀwa] [sɛd̪tʀavɛːʀ] [lanɛgdɔt ɛtɔpsɛn] [ləmetsɛ̃ ɑ̃nɛtrist].

7. [kɛltɛt iletety] [ɛlfɛtsõsyksɛ] [ɛlladeʒafete] [kɛlenɛʀʒi] [ɛlɛtenɛʀve] [ʒeɔpsɛrve kɛlnapaeme lezebenist] [lepɔʀt sõfɛʀmeakle].

8. La prononciation avec [m] dévoisé suppose que la syllabe finale est [ism], dans laquelle le [s], plus fort, assimile le [m]. La prononciation avec sonorisation du [z] par le [m] suppose un E caduc final prononcé, ou tout au moins une forte détente, amenant le [s] en finale d'une première syllabe, donc l'affaiblissant. Il est alors assimilé par le [m] suivant, devenu fort en initiale de syllabe : [iz-mə].

9. Dans les 4 premiers exemples, la consonne finale de la première syllabe, donc faible, est assimilée par la suivante, initiale de syllabe, donc forte. Dans les derniers exemples, les deux consonnes sont dans la même syllabe, la forte, [k], assimile la faible, [ʒ], qui devient [ʃ] dans *j'crois* et la forte [t] assimile la faible [ʀ] qui devient [ʀ] dans litre.

10. Le E caduc est tombé [laddɑ̃], le premier d, implosif, s'est affaibli, ce qui a facilité sa nasalisation (n est constrictif du point de vue nasal) d'où [landɑ̃] — forme que l'on entend souvent — puis le second d s'est nasalisé [lannɑ̃] à son tour. L'assimilation complète aboutirait à [lanɑ̃].

Chapitre 8 (p. 75)

1. a, l, m, o, u, i, l, g, z, ʀ.

2. y, e, a, i, o.

3. y = 250/1800   o = 375/750   ɛ = 550/1800   ɔ = 550/1400   u = 250/750.

4. ɛ̃ = 550/600/1800   ɑ̃ = 600/750/1200   õ = 375/600/750.

5. [s] et [ʃ].

6. [strikt] [sɛkt] [bak] [bo] [brɛːv].

7. [laʀo.zʀuːʒ] [ʀu.ʒpɑːl] [sakɔʀɑ̃ːʒ] [yno:tʀ̥] [yno.tʀami].

8. Structure sonore : tous ont une structure sonore expressive. Mais plusieurs ont une structure morphologique faite de redoublements expressifs : *hurluberlu*, *bobo*, *hululement*, *coucou*. Seuls sont véritablement des imitations sonores : *coucou* et *cocorico*. *Vindicatif* est le seul à avoir un pouvoir sémantique sans lien véritable avec sa forme sonore.

9. C'est l'allitération créée par la consonne [l], « liquide », qui produit un effet d'image sonore. Dans le premier vers, elle suggère une brise douce, grâce au mot « souffles de la nuit », dans le second, le bruit doux du ruisseau, indiqué aussi par le texte.

10. [ʒəlevulyeme
mɛzɛletɛdbwa
kɑ̃ʒəlekarese
dybudedwa
ʒəmsylplɑte
yneʃaʀdɑ̃plɛ̃kœ:ʀ]
Syllabes : 30, dont 28 ouvertes, soit 93 %.

Chapitre 9 (p. 84)

1. a) [səlõ*matyrɛ̃ʀeˋɲe peʃekaˋʃe ɛtadmipaʀdɔˋne] ; b) [lanydiˋte ɛtynabsɑ̃.sdəvɛtˋmɑ̃ kinmɑ̃:k ʒeneʀalmɑ̃ˋpɑ deˋfɛ] ; c) [lyˋmu:ʀ ɛlapɔlitɛsdydezɛsˋpwa:ʀ] ; d) [õpøtuʒu.ʀ parledeˋzɑ̃:ʒ sɑ̃zɑ̃navwa.ʀˋvy] ; e) [lymu.ʀˋ nwa:ʀ sɛpʀɑ̃dʀəlaˋmɔ:ʀ dybõkoˋte].

2. a) « jouer au ballon avec les ˋpieds # dans la ˋrue » (sens normal).
b) « jouer au baˋllon # avec les pieds dans la ˋrue » (sens absurde).

3. a) [ʒvu\\zadɔ:ʀ] ; b) [ʒətɛm-a-la-\\fɔli:] ; c) [ʒələʔɛ] ; d) [nə-mə-lə-dit-pɑ] ; e) [\\tezevu].

4. Par une montée mélodique sur les syllabes accentuées (qui ne sont plus les syllabes finales) : Il est ˋi-rresponsable, J'ai ˋa-doré ça, ˋsu-perbe, c'est un ˋhur-luberlu, c'est ˋi-nimaginable.

5. Freluˋquet au long ˋcou surplom'bé d'un chaˋpeau cer'né d'un ga'lon treˋssé // ro'quet raˋgeur // rouspéˋteur et sans couˋrage // ˋqui fu'yant la baˋgarre // a'llas poˋser ton deˋrrière moisso'nneur de coups de'pieds au ˋcul // sur une banˋquette en'bois durˋci // soupçonnais-ˋtu cette desti'née rhétoˋrique // 'lorsque devant la'gare Saint-Laˋzare // tu écouˋtas d'une o'reille exalˋtée // les con'seils de ta'illeur d'un persoˋnnage // qu'inspi'rait le bou'ton supéˋrieur de ton pardeˋssus //.

6. [lɛs+kaʀ+go+pʀe+se# dwa+tni.ʀ+kõ:t# də+la+vi+tɛs+dy+vɑ̃].

7. La ˋlu- ne s'attrisˋtait. Des séraˋphins en ˋpleurs.
     2   4   4   2
Rêˋvant, l'archet aux ˋdoigts, dans le ˋcal-me des ˋfleurs.
2   4   3   3
Vapoˋreu-ses, tiˋraient de mouˋrant-es ˋvioles.
   3   3   3   3
De blancs sanˋglots gliˋssant sur l'aˋzur des coˋrolles.
        4   2   3   3
Notez que l'E caduc final prononcé, après voyelle accentuée, fait partie du groupe suivant, comme dans : ˋcal-me, vapoˋreu-ses, mouˋran-tes violes.

8. Les mesures mises en relief seront les plus courtes : la lune, en pleurs, rêvant, glissant.

9. Les mots mis en relief par le rejet au vers suivant sont ; *rêvant, vaporeuses*. La pause de fin de vers coupe l'énoncé de manière intempestive, dans ces deux cas-là, créant une surprise poétique.

10. On prononce : de fort... toute matière... pénètrent le verre... venu de l'Orient... une maison... pleine de... qui se souvient... toute vive... âme qui...

Chapitre 10 (p. 97)

1. Les phrases : b, d, e, g, j.

2. a) À Baruch/... b) Elle laissait mourir/... c) Le soir/... d) Les cœurs battent plus fort/... e) Un soir/...

3. a) question totale ; b) exclamation ; c) déclaration ; d) ordre ; e) déclaration avec incise.

4.

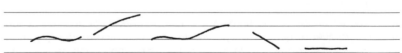

Je suis allé au marché et j'ai acheté des oiseaux pour toi, mon amour.

5.

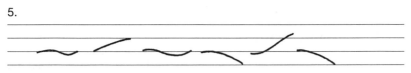

Je suis allé au marché et j'ai acheté des oiseaux pour toi, mon amour.

6. Sans insistance, sur : heure, combien, où, est-ce que, avez-vous.
Avec insistance, sur : il, vous, vous, ça, peur.

7. et 8.

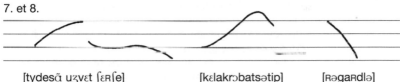

[tydesɑ̃ uʒvɛt ʃɛRʃe]   [kɛlakrɔbatsətip]   [RəgaRdlə]
Tu descends ou je vais te chercher.   Quel acrobate ! ce type.   Regarde-le !

9. Le premier schéma indique une déclaration qui fait dépendre le complément circonstanciel, *pendant les vacances*, de la première partie de la phrase. La phrase forme un ensemble clos. Le second schéma comporte une déclaration : *Je suis resté chez moi*. La suite, *pendant les vacances*, fonctionne alors comme une apposition apportant un commentaire qu'on devra interpréter, dans ce contexte, comme une restriction et probablement un regret.

10. Dans le premier cas, l'incise fonctionne comme un commentaire neutre du groupe précédent. Dans le second, elle prend le rôle le plus important en mettant en relief ce que le texte écrit, entre virgules, ne présentait que comme un ajout.

Chapitre 11 (p. 108)

1. Variation conditionnée, les cas a) et c). Les autres sont des variations libres.

2. Indice : a), c), e), i). Les autres sont des signaux. Mais j) peut être indice ou signal.

3. a) Normandie ; b) Provence ; c) Nord ; d) Lorraine ; e) Poitou ; f) Auvergne ; g) Gascogne ; h) Franche-Comté ; i) Champagne ; j) Languedoc.

4. a) FdN : [ilfokʒɛfini asɛtœ:ʀ] FM : [ilfokəʒefini asetœrə].
   b) FdN : [o:tlezo.trəʃo:z] FM : [otəlezotrəʃɔzə].
   c) FdN : [ʒənkʀwapa kɛlswatʀɛkõtɑ̃:t] FM : [ʒənəkrwapa kɛləlswatrekɔntantə].
   d) FdN : [lepõpje õtetetʀɛʀapid] FM : [lepɔmpje ɔntetetrerapidə].
   e) FdN : [ilfotavwa.ʀdyʀɛspɛ puʀlezo:tʀ] FM : [iləfɔtawarədyrespe purlezɔtrə].

5. a) [fopaʀti:ʀ] ; b) [ʃsepauilɛ] ; c) [isõkatusɛ̃:k] ; d) [japadpʀɔblɛm] ;
   e) [fopasɑ̃fɛ:ʀ] ; f) [sɛyntabdənɥi] ; g) [jakaɑ̃mɛtɛ̃mɛt] ; h) [sɛsɥikaypœ:ʀ] ;
   i) [ɛʀvjɛ̃tutsɥit] ; j) [malɔ:ʀ stadi:ʀ kvuzɛtpadakɔ:ʀ]

6. 1 : joie ; 2 : exclamation ; 3 : colère ; 4. tristesse ; 5. surprise.

7. a) [p] avec un souffle, voyelle diphtonguée en [aõ] ; b) voyelle diphtonguée en [œy], [r] roulé ; c) la voyelle diphtonguée en [aᵢ], le [r] ; d) e [i] ouvert, le [t] affriqué en [ts] ; e) la voyelle nasale antériorisée, ressemblant à [ɛ̃] ; f) le [y] ouvert et le [t] affriqué ; g) [r] roulé mais le [i] reste fermé à cause du [r] ; h) l'article *la* tend à disparaître, [k] est soufflé, [r] roulé, et *là* devenant [lɔ] ; i) [twe tadzide] ; j) [p] soufflé, [r] roulé, [d] affriqué en [dz].

8. Postériorisation, relâchement articulatoire, [ʀ] grasseyé, palatalisation de [k] et [g] en [kj] et [gj], beaucoup d'accents d'insistance, déplacement de l'accent final sur l'avant-dernière syllabe, avec montée mélodique et allongement.

BIBLIOGRAPHIE GÉNÉRALE

Cette bibliographie très succincte ne fait que rappeler les noms de quelques ouvrages généraux auxquels on pourra se référer pour plus de précision sur les divers aspects du phonétisme français. On trouvera une bibliographie détaillée dans : *Phonétisme et prononciations du français* et dans *Précis de phonostylistique*, dont les références sont données ci-dessous.

BALIGAND Renée, TATILON Claude et LÉON Pierre (1980), *Interprétations orales*, Paris, Hachette, collection De bouche à oreille.

BOTHOREL André, PÉLA Simon, WIOLAND François et ZERLING Jean-Pierre (1986), *Cinéradiographie des voyelles françaises*, Strasbourg, TIP.

CALLAMAND Monique (1973), *L'Intonation expressive*, Paris, Hachette.

CALLAMAND Monique (1981), *Méthodologie de l'enseignement de la prononciation*, Paris, CLE International.

CARTON Fernand (1974), *Introduction à la phonétique du français*, Paris, Bordas, 2ᵉ éd.1979.

CARTON Fernand, ROSSI Mario, AUTESSERRE Denis et LÉON Pierre (1983), *Les Accents des Français*, Paris, Hachette, collection De bouche à oreille.

CATACH Nina (1980), *L'Orthographe française*, Paris, Nathan.

DELATTRE Pierre (1966), *Studies in French and Comparative Phonetics*, La Haye, Mouton.

DELL François (1973), *Les Règles et les Sons*, Paris, Herman.

DUMAS Denis (1987), *Nos façons de parler*, Québec, PUQ.

FONAGY Ivan (1983), *La Vive Voix*, Paris, Payot.

FONAGY Ivan et LÉON Pierre, Dir. (1979), *L'Accent en français contemporain*, Montréal-Paris-Bruxelles, Didier, Studia Phonetica 15.

FOUCHÉ Pierre (1959), *Traité de prononciation française*, Paris, Klincksieck.

GRAMMONT Maurice (1933), *Traité de phonétique*, Paris, Delagrave.

GUIMBRETIERE Élizabeth (1994), *Phonétique et enseignement de l'oral*, Paris, Didier-Hatier.

GRUNDSTROM Allan et LÉON Pierre, dir. (1973), *Interrogation et intonation*, Montréal-Paris-Bruxelles, Didier, Studia Phonetica, 8.

HANSEN Anita Berit (1996), *Les Voyelles nasales du français parisien moderne, aspects linguistiques, sociolinguistiques et perceptuels des changements en cours*, Copenhague, Thèse de doctorat de l'Université de Copenhague.

KNOERR Hélène (1994), « Élaboration d'un didacticiel pour l'enseignement de l'intonation en français langue étrangère », *Publication B-196*, Faculté des Lettres, Université Laval, Québec.

LÉON Monique (1982), *Oral Niveau 1*, Paris, Hachette, collection De bouche à oreille.

LÉON Monique (1964), *Exercices systématiques de prononciation française*, Paris, Hachette-Larousse, 7ᵉ édition 1992.

LÉON Monique (1972), *L'Accentuation des pronoms personnels en français standard*, Studia Phonetica 5, Montréal-Paris-Bruxelles, Didier.

LÉON Pierre (1966), *Prononciation du français standard*, Paris, Didier, 3ᵉ éd. 1983.

LÉON Pierre (1971), *Essais de phonostylistique*, Montréal-Paris-Bruxelles, Didier, Studia Phonetica 4.

LÉON Pierre (1992), *Phonétisme et prononciations du français* (avec travaux pratiques et corrigés), Paris, Nathan, collection Fac, 2ᵉ éd. 1996.

LÉON Pierre (1993), *Précis de phonostylistique* (avec travaux pratiques et corrigés), Paris, Nathan, collection Fac.

LÉON Pierre et Monique (1964), *Introduction à la phonétique corrective*, Paris, Hachette-Larousse, 6ᵉ édition 1989.

LÉON Pierre et MARTIN Philippe (1969), *Prolégomènes à l'étude des structures intonatives*, Montréal-Paris-Bruxelles, Didier, Studia Phonetica 2.

LÉON Pierre, SCHOGT Henry et BURSTINSKY Edward (1977), *La Phonologie*, Paris, Klincksieck.

LÉON Pierre et ROSSI Mario (1979), *Problèmes de prosodie*, vol.1, *Approches théoriques* ; vol. 2, *Expérimentation, modèles et fonctions*, Montréal-Paris-Bruxelles, Didier, Studia Phonetica, 17 et 18.

LUCCI Vincent (1983), *Étude phonétique du français à travers la variation situationnelle*, Grenoble, ULL.

MALMBERG Bertil (1974), *Manuel de phonétique générale*, Picard, Paris.

MARCHAL Alain (1980), *Les Sons et la Parole*, Montréal, Guérin.

MARTIN Pierre (1996), *Éléments de phonétique avec application au français*, Québec, Presses de l'Université Laval.

MARTINET André (1945), *La Prononciation du français contemporain*, Paris, Droz, 2ᵉ éd. 1971.

WALTER Henriette (1977), *La Phonologie du français*, Paris, PUF.

WIOLAND François (1985), *Les Structures rythmiques du français*, Genève-Paris, Slatkine-Champion.

WUNDERLI Peter, BENTHIN Karola et KARASH Angela (1978), *Französische Intonationforschung*, Tübingen, Gunther Narr.

INDEX DES NOTIONS

Imprimé en France par IFC. Saint-Germain-du-Puy 18390.
N° éditeur : 10091506- (III) - (7) -OSBS 80°
Dépôt légal janvier 2002 . N° d'imprimeur : 01/1175